AU NOM DU PÈRE DU FILS

et de la

CRÈME GLACÉE

Les Éditions Transcontinental
1100, boul. René-Lévesque Ouest, 24e étage
Montréal (Québec) H3B 4X9
Téléphone : 514 392-9000 ou 1 800 361-5479
www.livres.transcontinental.ca

**Catalogage avant publication de Bibliothèque et Archives nationales du Québec
et Bibliothèque et Archives Canada**

Morency, Pierre, 1966-
Au nom du père, du fils et de la crème glacée : comment vaincre Dieu à son propre jeu
ISBN 978-2-89472-381-4

1. Succès. I. Titre.

BF637.S8M67 2008   158.1   C2008-942063-2

Révision : Diane Boucher
Correction : Diane Grégoire
Mise en pages : Centre de production partagé, Médias Transcontinental
Conception graphique de la couverture : Studio Andrée Robillard
Impression : Transcontinental Gagné

Imprimé au Canada
© Les Éditions Transcontinental, 2008
Dépôt légal – Bibliothèque et Archives nationales du Québec, 4e trimestre 2008
Bibliothèque et Archives Canada

Tous droits de traduction, de reproduction et d'adaptation réservés

Nous reconnaissons, pour nos activités d'édition, l'aide financière du gouvernement du Canada par l'entremise du Programme d'aide au développement de l'industrie de l'édition (PADIÉ). Nous remercions également la SODEC de son appui financier (programmes Aide à l'édition et Aide à la promotion).

 Pour connaître nos autres titres, consultez le **www.livres.transcontinental.ca**. Pour bénéficier de nos tarifs spéciaux s'appliquant aux bibliothèques d'entreprise ou aux achats en gros, informez-vous au **1 866 800-2500**.

Pierre Morency

AU NOM DU PÈRE DU FILS
et de la
CRÈME GLACÉE

Les Éditions
Transcontinental

Remerciements

Ce livre arrive à un moment très spécial de ma vie. Ma famille est maintenant complète, et j'ai pour la première fois le privilège de remercier toute mon équipe personnelle : Charlie, Timmy, Jaimee, Amy, Jesse. Papa vous aime beaucoup. Merci de continuer à jouer avec moi et à m'appuyer dans mes folles aventures. Merci à Jessy, ma jointe et complice de toujours, pour s'être chargée de diriger les troupes durant mes longues heures d'écriture et pour avoir accepté de reporter nos vacances estivales au profit de... la crème glacée !

Merci à mon père, Pierre, qui m'a montré l'importance d'une visite au comptoir de crème glacée (un *cheese* et un cornet chez Bobil... tu te souviens, papa ?) après ses quatorze heures de travail par jour, question de ne pas oublier de quoi est fait le paradis. Merci aussi à ma mère, Louise, une femme intense, dévouée et passionnée, pour son soutien indéfectible.

Un merci tout spécial aux membres du club *Yes, on est dans marde* (un club pour les lecteurs qui souhaitent passer de la lecture aux actes et aux aventures). Vous êtes mes plus précieux clients et amis. Vous me forcez à toujours mieux préparer mes expériences et mes écrits pour qu'ils vous apportent de vrais résultats.

Merci à Jean Paré, mon éditeur, sans qui ce livre n'aurait jamais pris forme. L'écœurant me l'a fait écrire à raison de six heures par nuit pendant trois semaines consécutives, et ce, deux semaines après la naissance de mon cinquième enfant. « Quand on veut, on peut », ne cesse-t-il de me répéter. Je l'accueille dans son ressenti ; il a publié beaucoup de livres de psycho pop ces dernières années.

Namaste Guruji Nirvana Muni, je ne vous oublie pas. Je vous remercie d'avoir incarné un maître qui prône des écrits et des enseignements qui se goûtent plus qu'ils ne se lisent.

Pierre Morency

Table des matières

Introduction

Depuis qu'il a reçu son coup de pied au cul le chassant pour toujours hors du jardin d'Éden, l'être humain cherche à retrouver les clés du paradis. Le fameux paradis terrestre. Un endroit divin, paradisiaque, où nous pourrions nous promener tout nus, manger les fruits que nous aurions cueillis nous-mêmes dans les arbres, dormir avec le Roi Lion, Balou et Petit-Pied le dinosaure, nous faire bronzer le zouizoui au soleil et ne jamais travailler. Ah ! ne jamais travailler.

Pour y parvenir, nous avons appris que tout ce que nous avons besoin de faire, c'est prier, nous abandonner à la volonté du Père, présenter l'autre joue, gagner notre pain et peut-être que, si nous n'écrasons pas trop de fourmis…

Seulement voilà : **Dieu ne veut pas que vous retrouviez le paradis terrestre.**

Il a placé une ceinture de chasteté sans serrure autour de ce fameux jardin d'Éden. Pénétration absolument interdite. Dieu, cet écœurant, veut en fait que nous soyons gros, laids, pauvres, malades, déprimés, seuls et impuissants. Pire encore, c'est Lui (ou Elle ?) qui a créé les comptables, les REER, les mises de côté, les religions, les codes d'éthique, le système scolaire de même que les dictons pour déjouer nos efforts dans cette quête d'une bonne heure (que je vous entende me parler du bonheur ! Pus capable !). Soyons clair : Dieu fera tout pour que vous soyez et restiez dans marde. (Vous vous rappelez notre fameux « *Yes,* on est dans marde » national du livre *Demandez et vous recevrez* ?)

Mais ça suffit. Ce livre est pour vous si vous en avez assez du niaisage, du badaudage, du balisage, du braillage, du rechignage, du gossage, du fuckaillage, du taponnage, du rabâchage, du tétage, du zigonnage, du bavardage, du papotage, du verbiage, du bavassage et du rinçage.

Ce livre est pour ceux et celles qui souhaitent prendre Dieu à Son propre jeu et enfin trouver le paradis terrestre. Le forcer sur terre durant Son vivant. Oui, oui, le forcer sur terre, c'est-à-dire prendre Dieu par Ses divines couilles (oh ! pardon ! mais que voulez-vous, j'en ai ras le bol, du tataouinage) et L'amener de force sur notre terrain. L'amener à **abdiquer.**

Heureusement, nous avons des outils. Des outils et des héros. Des héros et des écrits. Nous avons la piste de la foi. Oh ! que non : pas cette satanée foi aveugle à se coucher par terre et lécher le plancher. La *vraie* foi. La foi des aventuriers. La foi des Indiana Jones modernes. La foi des chercheurs de trésor.

Ce livre est pour vous si vous voulez le beurre et l'argent du beurre. Si vous détestez la margarine des compromis. Si vous voulez lire la Bible dans un bar de danseuses. Si vous voulez perdre du poids en mangeant des gâteaux au chocolat. Il est pour vous si vous voulez, comme le dit Yvon Deschamps, un Québec indépendant dans un

Canada fort. Si vous voulez être et servir Dieu en même temps. En d'autres mots, vivre éternellement une vie limitée dans le temps sans jamais goûter l'ennui d'avoir réussi.

Si vous en avez plein votre casse de ces satanées limites, bombez le torse, prenez une grande respiration et dites avec moi :

« Dieu, nous Te lançons un défi. Nous le trouverons, Ton trésor. Il n'y a pas d'indices trop difficiles ni de pièges trop profonds qui nous empêcheront de compléter la plus incroyable aventure jamais créée dans toute l'histoire de l'humanité : vaincre Dieu à Son propre jeu. »

Go ! On part.

1

Le plus grand problème de Dieu

En premier lieu, levez-vous. Debout, debout! Allez, levez-vous. Maintenant. Commençons par montrer notre respect pour le Créateur en professant notre foi. Levez-vous et chantez (à haute voix, SVP, même si vous êtes au café du coin):

« Il est grand, le mystère de la foi. Nous proclamons ta mort, Seigneur Jésus, nous célébrons… » (Hé! J'ai dit de chanter.) « … nous célébrons ta résurrection, nous attendons ta venue, dans la gloireeeeeee. » Wow.

Nous attendons Ta **venue**? Ça, c'est *winner*.

Nous attendons. Nous attendons. Puis nous attendons toujours.

Ben moi, j'en ai assez d'attendre. Je ne veux plus attendre. Plus question de rester assis sur mon steak en attendant.

J'adore la foi. J'ai la foi. Après tout, je n'ai eu qu'une seule collection d'objets dans toute ma vie: les *Prions en église* (les petits livrets qu'on nous remettait à chaque messe). Mais de là à attendre encore, il y a toujours bien des limites.

NOTE

Dans ce livre, les références à Dieu, au Père et au Fils s'appliquent tout aussi bien aux hommes qu'aux femmes. Si vous préférez, biffez le titre du livre et remplacez-le par *Au nom de la Mère, de la Fille et de la crème glacée* (OK, *du yogourt glacé* – il faut bien manger santé !)

Success is boring – Le succès est ennuyant

> Dieu s'ennuyait. Tout seul dans son bain d'omnipotence, avec son canard d'omniprésence et son savon d'omniscience. Il s'ennuyait. Plusieurs fois, Il avait essayé de se divertir en se créant des aventures, mais chaque fois, Il avait complété le jeu dans un temps record, se retrouvant prisonnier de son incommensurable succès. Et Dieu vit que cela n'était pas bon.

Imaginez que vous soyez Dieu. Vous avez tout, vous savez tout, vous êtes tout et vous êtes partout. Que faites-vous ? Non, sérieusement : **que faites-vous ?** Si vous étiez Dieu, votre ennemi juré serait l'ennui. Un ennui si profond, si lourd qu'il est difficile à imaginer.

Un peu comme si vous alliez au cinéma pour voir un long métrage de quatre heures sur deux parents et leurs deux enfants :
« Bonjour, chéri, tu as passé une belle journée ?
– Oh, excellente. Tout s'est bien passé au travail et à la maison, et toi ?
– Super, j'ai eu une promotion et tous mes clients sont hyper satisfaits. Et toi, fiston ?
– Papa, j'ai eu une journée parfaite : 100 % en français, 100 % en mathématiques et la première étoile au match de basket.
– Et toi, ma biche ?
– Je suis première de classe en anglais, et mon bricolage a été placé au tableau d'honneur. »
Et cætera.

Quatre heures ! Quatre heures de temps à vivre un film d'une platitude horrible. Aucun problème. Juste du bonbon. Quelle horreur ! Vous n'auriez pas passé au travers d'une seule heure, n'est-ce pas ?

Entendons-nous : un film parfait, c'est plate. Plate à mourir. Mais notre pauvre Dieu, Il ne peut même pas mourir !

Tout ce livre repose sur le fait suivant : Dieu ne veut pas que vos rêves se réalisent. Jamais. Vous avez bien lu.

Pendant que vous priez Dieu pour que vos demandes se matérialisent, Lui fait un pacte avec le diable pour qu'elles ne se réalisent jamais ou, à tout le moins, pas avant que vous ayez vécu de nombreuses souffrances sur une très longue période.

Alors, qu'est-ce qu'on fait ? On meurt ? On se *pitche* en bas du pont ? (Désolé pour un début de livre un peu claque sur la gueule. Je vous ai prévenu. J'en ai assez d'attendre.) **Pas question !** Pas question de mourir. Sinon, tout est à recommencer. Pas question de repasser à la case départ sans réclamer 200 $. Aucun intérêt non plus d'abandonner ni de devenir une véritable loque humaine, membre d'une secte prônant l'horrible vie sur terre.

Refus catégorique aussi de devenir membre d'églises pour pauvres désespérés ? En effet. Et itinérant, est-ce un bon choix ? *No fu... way.*

Dieu s'ennuie. C'est clair. Dieu ne veut pas que nos rêves se matérialisent parce qu'Il veut regarder un bon film en nous voyant nous casser la gueule pour nous en sortir, c'est de plus en plus clair.

Je vous le redemande : **qu'est-ce qu'on fait ?** C'est très simple : on déjoue les plans du Père. On trompe le réalisateur du film. On lui fait une jambette, ha !

On devient Dieu tout en restant le Fils. On devient des orgasmes sans éjaculations. On obtient toutes ses demandes sans l'ennui de la satis-faction. On gagne la médaille d'or sans perdre le désir de gagner. On a des enfants sans devenir parent.

On matérialise ses demandes sans trouver le paradis. On trouve les cocos de Pâques sans mettre fin à la fête. On trouve le trésor sans le trouver. On atteint le succès sans prendre sa retraite. On atteint le som-met de la montagne au pied d'une autre montagne.

On devient riche en gardant l'appétit du pauvre. On trouve l'enfer pa-radisiaque et le paradis infernal. On obtient le beurre et l'argent du beurre. On apprend à prendre simultanément la pilule rouge ET la pi-lule bleue de *The Matrix*.

Voilà ce que je vous propose dans ce livre. Voilà le défi.

Dieu doit refaire ses devoirs

Comme le Fils avait été fait à son image et à sa ressemblance, Dieu ne parvenait tout simplement pas à créer une aventure assez difficile pour que le Fils y joue suffisamment longtemps et pour que Dieu soit diverti en le regardant jouer. Dieu réfléchit. Il réfléchit une éternité. Puis Il se fâcha.

Dans sa colère, Il décida de créer le monde. L'ultime épreuve pour un Fils trop performant. Dieu inventa une chasse au trésor complètement tordue. Cette fois, le Fils ne réussirait tout sim-plement pas à trouver le trésor. Dieu fit cuire son *popcorn*, ter-mina la genèse du monde et s'assit devant son très grand écran. Et Dieu vit que cela serait bon.

Début du troisième millénaire. Nous sommes encore pognés en pleine chasse au trésor. Nous avons déjà, vous et moi, franchi beaucoup d'épreuves et trouvé beaucoup d'indices pour trouver le chemin vers le paradis.

Nous avons déjà joué à la chasse au trésor divine des milliers de fois, question de divertir Dieu. Nous étions tout simplement trop forts pour lui.

Mais cette fois, Il a mis le paquet. Là, nous devons vraiment jouer au-dessus de notre tête (c'est le cas de le dire), sortir de nos balises intellectuelles et nous tenir les coudes pour trouver le fameux trésor.

Quel trésor? Le paradis terrestre. L'Éden.

J'ai passé la majeure partie de ma vie à réfléchir à l'énigme du paradis terrestre: d'une part, la science et la bouleversante équation $E = mc^2$ (célèbre équation d'Einstein disant que la matière est de l'énergie comprimée) et, d'autre part, la phrase biblique la plus agressante, la plus baveuse et la plus enivrante qui soit: « Tout ce que vous demandez en prières, croyez que vous l'avez reçu et vous le verrez s'accomplir. »

Par exemple, pour avoir ce livre entre les mains, vous avez nécessairement fait une action hors du commun, ou vous avez beaucoup souffert, ou encore quelqu'un a prié pour vous. En un mot, vous avez trouvé un grimoire tout spécial pour passer à l'étape suivante.

Quand l'élève est prêt, le maître apparaît, dit le dicton. Je devais être prêt en tabarouette, parce que je suis tombé dans à peu près tous les trous possibles au cours de ma vie. Jusqu'à ce que j'arrive au point de baisser les bras. Puis bang! comme il arrive souvent aux artistes et aux écrivains, je me suis mis à me parler dans le casse, comme on dit. Je me suis assis à ma table d'écriture, crayon à la main, et j'ai choisi de croire au paradis terrestre. Je me suis mis à vouloir plus que tout résoudre l'équation de la vie. Ce livre est mon signe de croix. Ma prière. Mon tout ou rien. À vous d'en extraire les stratégies de vie qui vous plairont. Moi, j'y ai trouvé réponse à mes plus grandes interrogations.

Jusqu'à présent, pour introduire le concept de paradis terrestre dans mes livres précédents, j'ai proposé un sentier commercial (*La puissance du marketing révolutionnaire*), puis un sentier scientifique (*Demandez et vous recevrez*) et, récemment, un sentier de couple et de famille (*Le cycle de rinçage*).

Voici une autre piste, un autre flanc de la même montagne, du même sommet himalayen en route vers le divin sur terre : **le sentier de la foi.** La foi des aventuriers prêts à jurer sur tout ce que vous voulez qu'il y a un trésor. Que ce trésor est ici, sur terre. Qu'il est même possible d'avoir de l'aide pour y parvenir. Un jeu d'enfant !

À chaque tentative précédente, Dieu a lancé un défi trop facile pour son héros, c'est-à-dire lui-même (vous et moi) dans son rôle d'être humain. Une table de jeu beaucoup trop simple du genre *Le Monopoly pour les nuls.*

Chers lecteurs, nous sommes à deux doigts de frapper un mur. Le Père est fru, mesdames et messieurs. Il nous a balancé une chasse au trésor pour experts en pleine face ! Il croit nous avoir eus… sauf que nous sommes maintenant mieux préparés que jamais.

Question de comprendre le raisonnement du metteur en scène universel, écoutons aux portes et essayons de trouver ce qu'Il a concocté pour résoudre son plus grand problème : **concevoir la chasse au trésor la plus corsée qui soit.**

Les éléments requis pour une chasse au trésor réussie

Ayant conçu son plan diabolique, Dieu se plaisait à se répéter les nouvelles astuces de son jeu. Il voyait déjà son héros dans les pires situations. Il jouissait à l'idée de gagner sur lui-même, son Fils, pour une fois… Et Dieu vit qu'il se trouvait bon.

« Papa, c'est quoi, le paradis ? »

Prenez papier et crayon, nous commençons par un exercice. Comme d'habitude, je ne vais pas vous laisser vous prélasser sans rien faire pendant que je me tape tout le travail.

Qu'est-ce que le paradis, pour vous ? L'exercice consiste à écrire sur une page ou deux ce que constitue le paradis pour vous. Vous savez, là, quand vous dites : « J'ai hâte d'aller au ciel » ?

Je veux savoir ce que vous y feriez, dans ce fameux ciel. Allez, allez, écrivez. Fermez le livre, puis faites l'exercice. Écrivez comme si vous étiez vous-même le concepteur ou la conceptrice du paradis, comme si vous étiez Dieu (et comme nous l'avons vu dans *Demandez et vous recevrez,* vous l'êtes vraiment !).

Bien. Alors, dans votre paradis, préférez-vous avoir tout ou n'avoir rien ? N'avez-vous pas trouvé qu'une fois que vous avez tout, vous cherchez à ne plus rien avoir, question de retrouver le tout ?

Pensez-y : pourquoi les grands maîtres préfèrent-ils **voir** Dieu que d'**être** Dieu ?

Dans votre paradis, souhaiteriez-vous **goûter** le miel ou **être** le miel ? Préféreriez-vous **jouer** le jeu ou **concevoir** le jeu ?

De mon point de vue, seuls les fous veulent un emploi à Disney World. C'est ben plus l'fun d'y aller comme visiteur, non ?

Si je vous interprète bien, en ayant fait l'exercice de conception d'un paradis, vous êtes forcément arrivé à la même conclusion que moi : le meilleur rôle que nous puissions avoir dans le film du paradis est celui d'un *loser*. Un super-*loser* qui cherche à redevenir un méga-*winner*. Parfait. Nous sommes sur la même longueur d'onde. De nouveau, levez-vous (vous ne pourrez pas me dire que lire un livre ne peut pas vous redonner la forme). Levez-vous et criez :

> « Je suis un *loser* !
> Je fais équipe avec Pierre Morency,
> un autre super-*loser* ! »

Ah ! ça, c'est stimulant ! Maintenant, dessinez un gros L sur votre front, question de garantir que vous décrocherez le premier rôle du film. (Tant qu'à faire, aussi bien mettre toutes les chances de votre côté.)

Dieu recrute les plus grands *losers* pour les meilleures aventures. Ceux qui ont le plus de problèmes au début.

J'espère donc sincèrement que, en ce moment, vous êtes dans marde solide (oui, oui, la même marde que celle de notre célèbre « *Yes*, on est dans marde »).

Réalisez à partir de maintenant que seulement les personnes qui sont dans un méchant pétrin ont des chances d'accéder au paradis.

Vous ne me croyez pas ? C'est ça, toujours la même chose. Vous voulez des preuves. Des preuves mathématiques et scientifiques. Des preuves du genre 2 + 2 = 4. Si j'étais méchant, je vous demanderais, moi, une preuve mathématique que vous aimez votre joint ou jointe (je vous rappelle que je suis incapable de tolérer l'expression con+joint ou con+jointe. Je n'utilise que joint ou jointe.) Allez-y, prouvez-moi **scientifiquement** que vous aimez vos enfants.

J'attends.

Pas facile, n'est-ce pas, de vouloir tout mathématiser !

Qu'à cela ne tienne, je peux vous prouver hors de tout doute que vous souhaitez avoir des problèmes.

Imaginez que vous êtes dans la mer des Caraïbes sur un superbe voilier de 40 pieds. Vous êtes seul ou avec votre joint (celui de votre choix). Le ciel est bleu, la mer est turquoise, aaaaahhhh. Le paradis ne doit pas être loin.

Vous vous levez le lendemain, il fait encore beau. Le joint est encore allumé (…), pas de vagues, la mer turquoise, aaaaahhhhh.

Vous y êtes maintenant depuis un mois. Vous ne savez plus où est le joint. Y fait beau. La mer est belle.

Six mois ont maintenant passé. Y fait beau. Le ciel est bleu. On peut-tu avoir une vague, une tempête, quelque chose ?

Vous voyez : vous **souhaitez** les problèmes. Vous voyez qu'il faut du changement déclenché par de la marde pour goûter au paradis.

Le changement, c'est la récompense. Le changement, c'est le nerf de la guerre. Le changement, c'est le dessert après le foie de veau que votre mère vous forçait à manger pour grandir. Ce dessert, c'est la crème glacée ! Le but. Le paradis.

Dieu veut voir Mickey Mouse

Vous êtes déjà allé voir Mickey et la fée Clochette ? Croyez-vous qu'il soit possible de s'emmerder royalement dans ce féerique village floridien ?

Supposons que vous arrivez dans le merveilleux monde de Disney pour de petites vacances en famille. Vous êtes tout fringant, trépignant de joie en voyant au loin le château de Cendrillon.

Lorsque vous passez la grille principale et mettez le pied sur Main Street, U.S.A. (le nom de la rue centrale du parc d'attraction), vous êtes étonné de constater qu'une famille complète est écroulée sur un banc public, l'air abattu.

Vous vous demandez sans doute comment ces personnes peuvent avoir l'air si triste alors qu'elles sont en pleine foire au bonheur.

Vous n'en pouvez plus. Vous allez leur poser la question. La mère de famille vous répond : « Vous savez, nous sommes ici depuis trois semaines. Nous connaissons par cœur la couleur de chaque maudite petite poupée de chaque manège. Je n'arrive plus à dormir parce que j'ai dans la tête la foutue chanson *It's a small world after all, it's a small world after all, it's a small world after all, it's a small, small world* (ça y est, vous l'aurez aussi dans la tête pour la journée…). Nous avons tout fait 10 fois, mangé dans tous les restos. Nous avons tellement de photos avec Mickey et Minnie dans toutes les positions que nous pourrions lancer un nouveau *Kama Sutra* pour enfants. Nous voulons juste partir. »

Voilà.

Dieu cherche ainsi à se rendre sur les genoux de Mickey, à travers nous, sans toutefois se rendre jusqu'à l'ennui. Gros mandat. À moins de perdre la mémoire chaque fois !

L'ultime paradoxe du Père et du Fils

Nous sommes maintenant au cœur du problème du Père et, par rico-chet, au centre de notre problème à nous.

Pour entrer au paradis terrestre, il nous faut résoudre l'ultime paradoxe :

Comment avoir le beurre **et** l'argent du beurre ?

Bref, comment concilier deux forces qui, en apparence, sont en op-position totale ?

D'un côté, Dieu veut le beurre pour goûter, sans se soucier de comment le beurre est fait, de ce qu'il mangera demain. Et pour goûter ce beurre, Dieu a besoin des sens du Fils (son incarnation). De l'argent du beurre, Dieu n'a rien à cirer. Il a tout ce qu'Il veut. Mais le beurre ! Miam miam.

De l'autre, le Fils veut l'argent du beurre pour le pouvoir qui l'ac-compagne. Après tout, le Fils est habitué à goûter le beurre. Il en a tous les jours, tant qu'Il en veut. Mais le pouvoir. Ah ha !

Dieu veut oublier pour goûter. Le Fils veut se rappeler pour contrôler. Vous voyez le paradoxe ?

Dès aujourd'hui, il faut accéder à l'équilibre (le tao) entre retrouver le contrôle sans le trouver. C'est pas facile à cerner conceptuellement. Mais si vous commencez à voir l'importance des deux mouvements antagonistes, vous comprendrez de façon très pratico-pratique com-ment manifester chacune de vos demandes sans tomber dans l'ennui. Vous apprendrez à surfer sur le paradoxe.

Question de vous exercer, prenez une heure ou deux à méditer sur les énigmes suivantes. Vous êtes après tout en période d'entraînement comme chercheur de trésor, alors grouillez-vous le derrière, bon sang ! Allez marcher et mijotez là-dessus :

1. Les hôpitaux sont le voyage de rêve des gens en santé.

2. La mort est l'amie la plus précieuse de la vie.

3. L'échec est le carburant du succès.

4. La deuxième place est la médaille d'or des champions.

5. L'eau la meilleure est celle qu'on boit après trois jours de soif intense.

6. La victoire est la pire défaite.

7. La re+traite ne goûte jamais aussi bon que la première traite. (Ne dit-on pas « je me paye la traite » ? On veut se payer la traite mais on veut que la re+traite nous paye... Mystère !)

8. La plus grande liberté se trouve en abandonnant la liberté.

Ce chapitre a pour but de vous donner la perspective de Dieu dans l'aventure que nous partageons avec Lui. La perspective du spectateur dans la salle de cinéma qui regarde l'action sur l'écran. Le film dans lequel vous et moi sommes les héros.

J'insiste. Là se trouve toute l'explication des raisons de vos demandes : vos prières ne sont pas immédiatement réalisées. La portion de vous qui est dans la salle (Dieu) ne veut pas que le film se termine. Cette partie de votre vrai vous ne veut surtout pas lire le dernier chapitre de son roman préféré.

L'autre partie de vous, le héros du film (le Fils) veut au contraire obtenir ses demandes au plus vite, gagner la médaille d'or, être riche, heureux, prospère.

Il doit forcément y avoir un moyen de faire les deux en même temps. Forcément une façon d'avoir le beurre et l'argent du beurre.

Comment ? En se faisant **payer** pour **manger** le beurre !

Des pièges et culs-de-sac pour nous rendre la tâche plus difficile

Assis à sa table à dessin, Dieu se lança dans la conception de chaque épreuve menant à la gloire ultime du héros. Une série d'embûches toutes plus tordues les unes que les autres. Des obstacles plus subtils, plus maléfiques même que ceux du cycle précédent, cachés au cœur même de la vie du héros. Des indices si difficiles à déchiffrer que seul un vrai champion y parviendrait. Et Dieu vit que son héros serait obligé de devenir très bon !

Quand la Bible citait : « Il est plus dur à un riche d'entrer au paradis qu'à un chameau de passer par le chas d'une aiguille », Dieu était tout à fait d'accord avec ça.

Dans cette chasse au trésor, Dieu s'est vraiment dépassé pour nous rendre la vie difficile. Voyons justement le type de piège qu'Il nous a tendu (chhhhut ! il ne faut pas qu'Il nous entende, sinon…).

C'est là, juste sous vos yeux !

C'est le moment de se mettre dans la peau de Dieu. De chausser ses souliers à pointure infinie pour comprendre (et déjouer) sa stratégie.

Imaginons que vous êtes Dieu. Où cacheriez-vous les indices les plus importants sur la façon de répondre aux demandes du Fils ? Quels seraient les pièges les mieux cachés que vous tendriez au joueur pour qu'il ne réussisse pas facilement les épreuves le conduisant à la réalisation de ses désirs ?

Avez-vous déjà joué à cacher un objet pour qu'un autre le trouve ? Ce soir, jouez à ce jeu avec vos enfants, chez vous : prenez n'importe quel objet et cachez-le à un endroit, puis demandez à vos enfants de le trouver.

J'utilise d'ailleurs régulièrement ce type de jeu pour entraîner mes clients à affiner leur sixième sens. Par exemple, l'un d'entre eux veut devenir un célèbre gardien de but de la Ligue nationale de hockey. Exercice au programme : demander à ses enfants de cacher la rondelle quelque part dans sa maison pour qu'il la trouve le plus rapidement possible.

Revenons à *votre* jeu. Quelle serait la meilleure cachette possible ? Le dernier endroit au monde où le joueur chercherait l'objet ?

« Enweille, Pierre, accouche, dis-nous où. » OK, mais vous auriez quand même pu faire l'effort de le trouver par vous-même.

Sur le joueur lui-même !

Oui, cachez l'objet sur le joueur lui-même. Il ne pensera jamais à se fouiller pour trouver l'indice.

Voilà ce que Dieu a fait avec nous. Lorsque vous avez une demande, l'indice par excellence pour savoir **comment** et **quoi** faire pour déclencher sa réalisation est caché sur vous, en vous.

En d'autres mots, la meilleure réponse est dans votre entourage, dans votre assiette, là, **tout juste sous vos yeux.** C'est bien le dernier endroit où vous regardez, non ?

Il y a cinq ans, mon épouse et moi cherchions à vendre notre maison, question de changer d'air et de faire un peu d'argent non imposable – c'est bien une des seules façons d'en faire par les temps qui courent !

Pendant trois ans, nous avons tout essayé pour vendre : un courtier, pas de courtier, des visites libres, des annonces dans *La Presse*, des annonces dans un journal de quartier, un courriel à nos clients, etc. Même qu'à un moment donné, nous avons été certains d'avoir vendu notre maison, l'acheteur nous ayant donné un dépôt. Nous déménageons donc la semaine suivante, pour apprendre trois semaines plus tard que l'acheteur avait changé d'idée. Nous voilà maintenant pris avec deux maisons !

Nous retournons dans la maison originale, et je me dis : « Pis d'la marde, allons en Floride pour nous changer les idées. » Aussitôt cette décision prise, j'apprends que notre voisin est devenu agent immobilier (oui, oui, le **voisin**) et qu'il s'offre pour rénover notre maison **à ses frais** pour que nous obtenions un meilleur prix de vente.

Conclusion (tenez-vous bien) : nous sommes en voyage en Floride pour l'été, le voisin rénove la maison, la vend beaucoup plus cher que nous l'espérions et, chez le notaire, j'apprends que l'acheteur a pour livre fétiche *Demandez et vous recevrez*. Or, j'ai écrit ce livre dans la maison que nous venions de lui vendre. Ben coudon.

Et hop ! Dieu 1, Fils 0.

Conseil de Pierre

Lorsque vous avez un problème, commencez vos recherches de solution par les gens, les circonstances et les éléments qui sont tout près de vous, dans votre vie de tous les jours. La réponse n'est jamais loin du problème.

Panoramix, au secours !

Piège suivant. Tout un, celui-là.

Je vous rappelle que tout au long de ce premier chapitre, vous devez prendre le point de vue de Dieu qui cherche à tromper son aventurier pour lui rendre la vie plus difficile, et par conséquent rendre le film plus intéressant.

De toutes les époques et dans toutes les cultures, les humains ont toujours fait appel à un gourou quelconque. Un shaman, un maître, un prêtre, un saddhu, un moine, bref, un chef religieux, pour obtenir des directives de vie ou des pistes de solution. Ces mystérieux chefs religieux, de leur côté, reçoivent leurs directives directement de la source. Quelle source ? Dieu.

Tout un coup de maître. Dieu lui-même, Celui qui tend les pièges et orchestre les énigmes, s'est bâti un réseau d'infiltration on ne peut plus parfait. D'un côté, nous, pauvres Fils, ouvrons nos livres à ces espions divins en leur soumettant nos prières et nos questions. De l'autre, ces mêmes espions nous reviennent avec des soi-disant pistes à suivre en réponse à nos demandes, des pistes du genre « Venez à la messe trois fois par jour », « Récitez 2 400 mantras sur un chapelet en pierre et bambou », « Ne sacrez pas », etc.

C'est *ça*, vos directives pour matérialiser mes demandes ? *Come on.* Pire encore : c'est pour mieux nous tromper, et ce, toujours selon la volonté de Dieu. C'est qu'ils font honnêtement et avec la plus grande dévotion du monde leur travail, ces gourous et ces prêtres. Ils ne sont pas à blâmer du tout. Ils sont d'excellents acteurs qui suivent à la lettre le scénario du film qu'ils nous imposent. Nous devons les applaudir et apprécier la beauté de leur jeu.

Tous ces religieux sont d'ailleurs indispensables à notre film. Ça nous prend des bons et des méchants. Il faut des espions et des alliés. Il faut aussi des agents doubles.

Les ennemis, ce ne sont pas vraiment les chefs religieux eux-mêmes, mais les **messages** qu'ils envoient afin de nous faire dévier du chemin qui nous permettrait de trouver la réponse à l'énigme de notre chasse au trésor. Vous doutez? Je pique votre foi en plein cœur, n'est-ce pas? Voilà, vous êtes tombé dans le piège.

Rappelez-vous la dernière fois que vous êtes allé consulter un chef religieux pour une demande **concrète** touchant votre vie, demande du genre:

> « J'aimerais que vous me donniez une prière
> à faire pour que je me trouve un bon mari
> (ou un nouvel emploi plus rémunérateur). »

Alors, que vous a répondu l'espion? Probablement quelque chose comme: « L'important, mon enfant, ce ne sont pas ces questions banales, mais le salut de ton âme. Tu dois prier Dieu pour qu'Il t'aide à purifier ton âme et ton cœur. Le reste est sans importance. »

Sans importance? Sans importance, bien sûr, si le metteur en scène veut que son héros trébuche à tout bout de champ pour ne pas trouver le paradis terrestre trop vite.

La prochaine fois qu'un de ces leaders spirituels vous suggérera de sauver votre âme, faites justement ça: **sauvez-vous.** Loin de lui.

C'tait une fois saint Pierre

Une fois, c't'un gars qui meurt. Il arrive aux portes du paradis et demande à saint Pierre la permission d'entrer. Saint Pierre refuse et exige d'abord l'incontournable séjour au purgatoire pour l'expiation des fautes. Bouououuuuuuh.

Quelle vie de merde il a dû mener, saint Pierre, pour mériter de passer son éternité aux portes du paradis sans jamais pouvoir y entrer. Pas de doute, il a probablement eu comme tâche d'être Pierre et sur cette pierre de bâtir l'église (vous savez, ce regroupement de chefs religieux chargés de former des espions du Père pour que nous ne trouvions pas le trésor trop facilement?). Il doit vraiment se sentir comme un testicule, toujours le nez écrasé sur la porte sans jamais pouvoir entrer.

Bon, bon, vous voilà offusqué parce que je compare saint Pierre à un testicule. Dieu vous a vraiment bien piégé, vous.

À mes yeux, se faire traiter de testicule est un honneur. Vous et moi avons eu un testicule comme première maison, tout de même. Tout à fait. Vous avez habité dans un testicule à vos tout débuts. Ce testicule, c'est la maison de votre père.

Non mais, attendez une minute: je viens de comprendre quelque chose par syllogisme et équation scientifique:

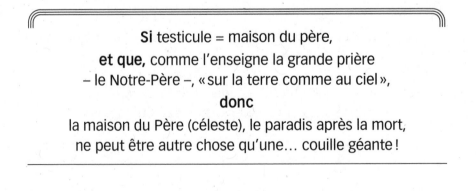

Si testicule = maison du père,
et que, comme l'enseigne la grande prière
– le Notre-Père –, «sur la terre comme au ciel»,
donc
la maison du Père (céleste), le paradis après la mort,
ne peut être autre chose qu'une… couille géante!

Bon, de retour au purgatoire (salle de décontamination extrême pour humains souillés de péchés). Qu'est-ce que le purgatoire? Un *decoy*, une diversion! Si on réussit à vous faire croire que pour accéder au soi-disant vrai paradis vous devez d'abord vous purifier, vous abandonnerez votre quête du paradis terrestre, ici et maintenant, vous vous écraserez dans votre fauteuil, vous resterez bien tranquille en attendant de passer au lave-auto divin.

Et Dieu de réfléchir : « Et si je les induisais en erreur en leur demandant de me prier, de me dévouer toute leur vie en me suppliant pour que je les sauve ou pour que je leur accorde, quand ça me plaît, un petit bonbon de temps à autre? De cette façon, ils ne devineront jamais que la prière passive est *le* piège ultime. L'indice introuvable. L'énigme sans réponse. »

Bang! Dieu 2, Fils 0.

Conseil de Pierre

Le paradis se cherche sur terre, ici et maintenant. Si vous voulez prier pour quelque chose, priez pour y goûter ici, le plus vite possible, et pas dans l'au-delà, pour l'amour!

Les plaies d'Égypte et leur môzusse de virus

Autre piège tordu : la menace de catastrophes si nous ne nous soumettons pas.

La peur est bien sûr un des outils de tromperie les plus utiles pour nous empêcher de matérialiser chacune de nos demandes. Surtout la peur des catastrophes. Les éternelles plaies d'Égypte potentielles.

Vous savez, les plaies du genre bogue de l'an 2000 – à 23 h 59 min 59 sec de l'an 1999, tous les ordinateurs seront sur le point de se transformer en ogres géants qui boufferont toutes vos cartes de crédit et vos comptes de banque. Repentez-vous et sauvez votre âme.

Avez-vous remarqué qu'il y a toujours, **toujours,** une date fatidique qui s'en vient ? Toujours un Nostradamus de l'apocalypse qui attend à notre porte. Par exemple, 2012. Vous avez entendu parler de 2012 ? C'est la prochaine plaie. Protégez-vous !

Tic-tac, tic-tac, *we've only got 4 minutes to save the world* (*go,* Madonna, *go!*). Attention, 2012 s'en vient. Ce sera à nouveau la fin du monde. Déménagez en haute montagne. Faites-vous des réserves et un gros trou dans le sol pour y vivre les douze ans suivants, en toute sécurité. (Ben oui, toute une sécurité : un hangar souterrain, pas de fenêtres, avec un paquet de gens qui voudront tous se tuer les uns les autres après une semaine !)

Et pendant que vous cherchez à vous protéger à l'avance de ces horribles menaces à venir, vous perdez l'attention sur ce qui compte vraiment : **votre demande qui est en cours.**

Ce ne sont que des virus, des virus pour capter votre attention et vous dirigez sur une fausse piste. Des culs-de-sac.

Que fait-on quand on est devant un cul-de-sac ? On le perce. Ouvrez la mer Rouge comme le môzusse de Moïse.

Môzusse. Môzusse de virus.

Les Fables de La Platitude

Même les parents se font prendre au jeu de devenir de faux guides pour leurs enfants. Ciel ! Seriez-vous un faux guide pour votre enfant ou vos enfants ? Je sais que, de mon côté, je l'ai été longtemps.

Un parent est un faux guide lorsqu'il cherche à *élever* son enfant en lui donnant des consignes restrictives plutôt qu'en lui permettant d'expérimenter à partir de ses propres intuitions.

Les parents utilisent souvent la morale et se laissent prendre au charme des outils piégés que Dieu a semés sur leur passage afin de les manipuler pour déjouer la prochaine génération. (C'est qu'Il est très futé, ce Dieu. Il veut dès le début mettre vos rejetons sur la mauvaise piste et faire durer son film.)

Justement, une des bombes à retardement préférées de Dieu, ce sont les dictons et les histoires à morale, les dictons du genre :

- *Tout vient à point à qui sait attendre.* Même l'incapacité de bander !

- *Petit train va loin.* Ben oui, de la cuisine au salon.

- *La modération a bien meilleur goût.* Surtout en troisième période quand on perd 4-0 !

Et n'oublions pas les fameuses *Fables* de La Platitude : *Le renard et le corbeau, La cigale et la fourmi…* Je vous présente ma toute nouvelle *number one.*

Le lièvre et la tortue

Version La Platitude, inspiration Ésope

Rien ne sert de courir ; il faut partir à point.
Le lièvre et la tortue en sont un témoignage.
« Gageons, dit celle-ci, que vous n'atteindrez point
Sitôt que moi ce but. – Sitôt ? Êtes-vous sage ?
Repartit l'animal léger.
Ma commère, il vous faut purger
Avec quatre grains d'ellébore.
– Sage ou non, je parie encore. »
Ainsi fut fait : et de tous deux
On mit près du but les enjeux :
Savoir quoi, ce n'est pas l'affaire,
Ni de quel juge l'on convint.
Notre lièvre n'avait que quatre pas à faire ;
J'entends de ceux qu'il fait lorsque prêt d'être atteint
Il s'éloigne des chiens, les renvoie aux calendes
Et leur fait arpenter les landes.
Ayant, dis-je, du temps de reste pour brouter,
Pour dormir, et pour écouter
D'où vient le vent, il laisse la tortue
Aller son train de sénateur.
Elle part, elle s'évertue ;
Elle se hâte avec lenteur.
Lui cependant méprise une telle victoire,
Tient la gageure à peu de gloire,
Croit qu'il y va de son honneur
De partir tard. Il broute, il se repose,
Il s'amuse à tout autre chose
Qu'à la gageure. À la fin quand il vit
Que l'autre touchait presque au bout de la carrière,
Il partit comme un trait ; mais les élans qu'il fit
Furent vains : la tortue arriva la première.
« Eh bien ! lui cria-t-elle, n'avais-je pas raison ?
À quoi vous sert votre vitesse ?
Moi, l'emporter ! et que serait-ce
Si vous portiez une maison ? »

Le lièvre et la tortue

Version du physicien, inspirée de sa jointe

Rien ne sert de partir si on court en pingouin.
La tortue et le lièvre en sont un témoignage.
« Gageons, dit celui-ci, que vous n'atteindrez point
Sitôt que moi ce but. – Sitôt ? Êtes-vous sage ?
Repartit l'animal futé.
Mon fanfaron, il faut vous éduquer
À Vegas ou ici, je suis prête contre vous à parier.
Ainsi fut fait : et de tous deux
On mit près du but les enjeux :
La tortue se mit en route
Oubliant même de manger, pour gagner coûte que coûte.
Malgré sa faim qui la suppliait d'un temps d'arrêt pour une broute
Elle n'arrêtait même pas pour faire ses pommes de route.
Portant sur son dos sa maison de fardeaux,
Elle ne visait que le but : finir première bien en vue.
Rien, non, rien du paysage et des désirs
N'allait l'empêcher de souffrir pour réussir.
De son côté, le lièvre insouciant
N'avait comme poids sur le dos que la brise du vent.
Se permettait en juge de vivre ici et maintenant,
Savourant chaque minute précédant le dernier jugement.
Ayant perdu le désir de terminer la course,
Il profitait des fleurs, de leur parfum remplissait sa bourse.
Depuis longtemps il avait compris
Que malgré la vitesse la vie se goûte au ralenti
Et qu'il est permis de cracher en l'air
Si on a la vitesse pour que le projectile tombe non pas sur nous mais par terre
La tortue toute fière d'elle remporta la victoire,
D'à peine une longueur de nez vainquit le lièvre en retard :
« Vous voyez que vous auriez dû foncer de toutes vos forces vers le but.
En gaspillant votre temps à profiter de la vie, notre course, vous l'avez perdue.
Apprenez l'importance de la discipline, de l'humilité et du sacrifice
En dévouant votre vie au travail, au labeur et à la prière, mon Fils.
– Dame Tortue, je vous félicite mais de respect je n'ai pas davantage.
Ce n'est pas pour vous battre que j'ai en toute fin de course tant couru.
Je voulais voir comment vous feriez pour à votre fardeau ajouter
Cette médaille qu'au cou maintenant et pour toujours vous portez. »

Je ne sais pas pour vous, mais moi, j'aime mieux vivre comme le lièvre en prenant le temps de sentir les fleurs, gardant en réserve une grande vitesse disponible pour doubler une voiture sur l'autoroute, tout ça quitte à finir deuxième à la course du métro-boulot-dodo.

Conseil de Pierre

Les dictons, les scénarios de cataclysmes et les stratagèmes de protection sont des pièges qui, à l'image de vampires, sucent l'énergie de votre vie et vous empêchent de diriger votre esprit sur ce qui compte vraiment : la manifestation d'une demande.

Gutenberg ou Barabbas

Piège suivant : les livres et les ennemis.

« Bon, Morency est encore en train de fumer ses chaussettes. »

« Pierre, comment peux-tu prétendre que les livres sont un piège tendu par Dieu pour nous ralentir dans notre quête à la satisfaction de nos demandes alors que tu écris toi-même des livres ? »

Pffffffffffff. Qu'est-ce qui vous dit que je ne suis pas moi-même un piège ? Hein ?

Avant, encore une fois, de vous mettre à paniquer, à critiquer ou à argumenter, dites-moi combien de temps vous passez, vous, chaque semaine, à réfléchir sur les moyens d'améliorer votre vie ?

Reprenez votre crayon et votre feuille de papier, et comptez combien d'heures par semaine, sur les cent soixante-huit disponibles, vous passez à discuter, réfléchir ou lire sur votre vie.

La réponse : **trop** !

Le paradis est supposé être réservé à ceux qui sont comme les enfants. N'est-ce pas là la parole de Jésus ? « Laissez venir à moi les petits enfants, car le royaume des cieux est à eux. »

Ben moi, des enfants, j'en ai cinq, âgés de trois semaines à quinze ans, et je n'en vois aucun passer plus de deux minutes par semaine sur ces questions. Et les deux minutes, c'est bien parce que ma femme et moi, on est assez niaiseux pour les gaspiller sur ce sujet durant un de nos soupers de famille.

Quand les enfants lisent, ils ne lisent pas sur la façon d'améliorer leur vie : ils lisent *Caillou,* une histoire ou un magazine pour mieux s'habiller (remarquez, là-dessus, il faudrait qu'ils lisent encore).

Franchement, Dieu, Tu es très fort. Même mes propres clients tombent dans le piège !

Disons que vous devriez peut-être lire un peu moins et vivre un peu plus ? Je sais, je sais, les livres vous inspirent. Très bien. Comme vous y tenez, je vais continuer à écrire d'autres livres pour que vous perdiez votre vie à apprendre à la rendre meilleure.

Mais oui, mais oui, je sais que vous aimez lire. Vous êtes vraiment complètement fou. Complètement hypnotisé par ce mirage du Père.

Tenez, chaque année, je tiens un séminaire d'une semaine ou deux dans un lieu de villégiature, sur une plage. L'année dernière, nous sommes allés au Mexique, sur la Riviera Maya. Cet endroit est d'une grande beauté. Quel peuple que ces Mayas ! (Au village que nous avons visité, les Mayas ne savent pas lire. Pauvres gens. Ils perdent leur vie à faire de la musique et à jouer. Ridicule !)

Au cours de cette semaine de formation, les participants découvrent des exercices pratiques comme la méditation et la respiration active. Jusque-là, ça va.

Là où les choses se gâtent, c'est en après-midi. Les après-midi sont libres. Vous savez ce qu'ils font, les clients, quand ils sont à la Riviera Maya, sur une des plus belles plages du monde, dans un endroit tout à fait paradisiaque ? Ils se couchent sous un parasol et lisent un livre de développement personnel ! Non, mais…

Un livre de développement personnel. Pour améliorer sa vie, et faire plus d'argent, avoir plus de temps, pour un jour avoir la chance d'aller sur une plage comme celle-ci et de faire… et de faire quoi ?

Tenez-vous-le pour dit : si un jour je passe sur une plage et que je vous vois avec un de mes livres à la main, je vous l'arrache et le brûle sur-le-champ !

Voilà pour Gutenberg. Le traître.

Et les ennemis dans tout ça ?

Dieu vous a de nouveau dupé en vous faisant croire que vous deviez fuir vos ennemis et vous entourer d'amis.

Il a caché les meilleurs trucs, les meilleures pistes à suivre justement entre les mains de ceux et celles que vous n'aimez pas. Astucieux, non ? Ceux qui en apparence vous veulent du mal cachent vraisemblablement de précieuses réponses pour vous assister dans la matérialisation de votre demande actuelle.

Faites une expérience. Prenez votre pire ennemi et demandez-vous : qu'est-ce que Dieu a caché comme indice derrière lui (ou elle) ? Qu'est-ce qu'Il ne veut absolument pas que je découvre pour qu'Il ait créé ce mur entre cette personne et moi ?

Qu'est-ce qui se cache derrière Barabbas ?

Conseil de Pierre

Le paradis n'est accessible qu'à ceux qui sont comme les enfants. Réduisez vos lectures et passez à l'action. Il faut vivre les livres, pas seulement les lire !

L'indépendance financière : la plus grande dépendance sur terre

Attachez vos ceintures, nous approchons d'une zone de turbulences très intenses.

Quel est le piège des pièges pour l'aventurier occidental ? Facile : l'indépendance financière.

Ici, le Père s'est bâti toute une armée : comptables, avocats, conseillers en finances personnelles, banquiers, tous d'excellents apôtres de l'indépendance et de la sécurité financière. Un des groupes les plus importants pour un film bien réussi.

Mais au fond, c'est toujours la même chose : une autre avenue dans laquelle Dieu attire votre attention pour vous détourner de votre but, c'est-à-dire matérialiser votre demande actuelle.

Dans ce cas-ci, l'astuce est très réussie. Les templiers de l'argent vous enseignent à bien structurer votre portefeuille pour qu'un jour – oh non ! pas maintenant, bien sûr, mais « un jour » – vous puissiez *peut-être* accéder, au compte-gouttes, au paradis terrestre.

On réussit même, véritable tour de force, à vous faire avaler le fait que l'argent perd de la valeur avec les années, donc qu'il faut en accumuler encore davantage pour qu'il vous en reste un petit peu à la fin.

Non mais, avez-vous bien lu ?

C'est comme si je vous disais que, comme votre santé décline avec les années, vous ne devriez surtout pas vous servir de votre corps pour qu'il vous en reste un petit peu à la fin, pour atteindre l'indépendance médicale. Seulement là, quand vous serez tout ratatiné, pourrez-vous vous servir de votre REER de santé, votre Régime Engraissé d'Énergies Retenues, pour aller jouer au soccer, sauter en parachute ou voyager ?

Hello ! Réveille !

Ne voyez-vous pas là une fine stratégie pour vous faire repousser la fin du chapitre, pour étirer la sauce ?

« Dans la vie, il faut un portefeuille équilibré et des portes de sortie. »

Jamais de la vie.

Dans la vie, il faut un portefeuille de sortie et des portes équilibrées.

« Pierre, on sait ben, pour toi, c'est facile. Tu gagnes bien ta vie. »

Une petite minute, papillon. Je ne gagne pas ma vie. Je l'ai déjà gagnée, ma vie, je l'ai. Moi, je *joue* ma vie. Et je n'ai pas d'argent de côté. Ni de REER ni de tous ces pièges qui m'empêcheraient de vivre maintenant à plein ce que je ne pourrais vivre qu'à moitié plus tard. Et j'ai cinq enfants. Alors, les excuses et les oui-mais, je n'en ai rien à cirer.

OK, je me calme. C'est juste que je commence à en avoir assez d'entendre que certaines personnes ont une bonne étoile au-dessus de la tête, qui les protège et fait tout apparaître pour elles.

En fait, oui, certaines personnes ont une étoile. Même plusieurs. En fait, elles *voient* des tonnes d'étoiles à la suite de toutes les bosses qu'elles se sont faites au crâne en tombant dans à peu près tous les pièges que le Père a tendus.

L'expérience. L'expérience, voilà mon avantage. Je sais très bien que le Père a besoin du Fils pour faire son film. C'est le Père qui a besoin du Fils… pas l'inverse.

1 point pour le Fils.

Conseil de Pierre

Si la valeur d'un dollar aujourd'hui vaut plus que celle d'un dollar dans trente ans, la valeur d'une heure aujourd'hui vaut aussi plus que celle d'une heure dans trente ans. Pourquoi? Parce que vous dévaluez vous aussi.

Une drogue dure : l'altruistine

Ouf, quel chapitre. Si vous croyez qu'il n'est pas évident à accepter, imaginez l'écrire. Pis on n'a pas fini. Voyons comment vous réagirez au piège qui suit.

J'espère avant tout que vous êtes une personne qui aime les autres et qui cherche toujours à les aider.

J'espère que vous pensez toujours à vous sacrifier pour autrui.

J'espère que vous voulez sauver le monde.

J'espère, parce si ce n'est pas le cas, je suis vraiment en train d'écrire pour rien.

À quoi me servirait d'écrire un livre qui donne la clé pour s'en sortir si personne ne se rend compte qu'il est pris derrière les barreaux? Mais oui, je parle de vous. **Vous êtes au cachot.** Le cachot du sacrifice et de l'altruisme. Tel un drogué dépendant (je sais, je suis très dur avec vous, prenez une autre pilule, ça va passer…), vous avez besoin de votre personne à aider tous les jours.

Dieu vous apporte tous les jours votre victime à sauver, en seringue ou en bouteille.

L'altruisme est une autre arme dans l'arsenal du divin Joueur de tour. Et pendant que vous jouez au superhéros pour sauver le monde sous prétexte d'aider les autres, vous perdez de précieuses minutes à ne pas manifester votre propre paradis terrestre.

De nouveau, regardons les enfants : passent-ils leurs journées à aider les autres ? Avez-vous déjà pris un bébé dans vos bras ? Est-il altruiste ? Essaie-t-il de vous aider ?

Non. Pourtant, un bébé est une source de joie incomparable. Ça sent bon (précisons : ça sent bon tant que ça reste à l'intérieur du bébé), ça nous fait rire, ça nous ramène au moment présent. **Et c'est égoïste.**

Dieu, lui, est-Il altruiste ? Bien sûr que non. Il est partout. Comment voulez-vous qu'Il ne soit pas égoïste ! Même vous et moi faisons partie de Lui. Quand Dieu joue avec nous, Il joue avec son corps. Euh…

La pitié et la sympathie sont tous des pièges qui vous attirent une fois de plus hors du paradis terrestre. Je ne parle pas ici d'un égoïsme méchant qui vient avec le désir de faire souffrir autrui. Je parle de la même saveur d'égoïsme que celle d'un nouveau-né. Tout plein d'innocence et de désir de goûter la vie.

Égoïsme = *Ego* + *is* + *me*. Je suis.

Je parle de ce type de recherche en soi qui donne envie aux autres de suivre le même chemin. L'inspiration plutôt que la pitié.

En anglais, « altruiste » se traduit par *selfless* – sans le soi.

Comment voulez-vous que Dieu vous porte un intérêt, comme acteur de son film, si vous ne faites qu'aider les autres au maquillage et aux costumes ? Allez, sautez sur scène. Inspirez par votre jeu.

Bien sûr, c'est populaire de vouloir sauver le monde. Dieu est très fort. Ce livre est précisément là pour nous aider à le battre à son propre jeu.

Justement, je prends une pause et je vais bercer mon nouveau-né. Question qu'il me réapprenne l'égoïsme pur.

Vous, allez sauver quelqu'un. On se revoit plus tard ?

L'âme sœur à l'eau de Javel

Comme j'ai bien l'intention de vous dresser une liste exhaustive et complète des pièges tendus par le Père, je me dois de parler de l'âme sœur.

Je serai bref : oubliez l'âme sœur, comme je me suis tué à vous le dire dans mon précédent livre, *Le cycle de rinçage*. Le concept de l'âme sœur est une hérésie.

La quête du partenaire parfait prive des millions de personnes de l'accès au paradis et de l'énergie de couple nécessaire à la manifestation de leurs désirs.

Dans mes précédents livres, j'ai parlé du besoin essentiel de l'énergie sexuelle pour nourrir une demande. Mais tant que vous croupissez dans votre lit à chercher l'âme sœur, on oublie ça, les demandes et le paradis.

On ne cherche pas un joint ou une jointe pour se compléter et s'appuyer, mais bien pour se **défier** et se **nettoyer.**

Votre époux ou épouse n'est pas là pour vous rendre heureuse ou heureux. Au contraire. L'indice, c'est qu'il ou elle est là pour vous forcer à apprendre à faire ça par vous-même, comme un grand ou une grande.

C'est ça, le piège : passer sa vie à chercher une personne parfaite pour nous, qui pêchera le poisson à notre place, alors que le premier magasin du coin pourrait vous donner une canne à pêche et les rudiments pour commencer à attraper votre propre poisson.

Merci, chérie, de m'avoir si souvent mis en colère que j'ai finalement appris à entrer moi-même au paradis plutôt que de ne faire que le testicule à son entrée.

Soignez le remède

Tout le monde au bar, c'est ma tournée.

Allez vous chercher une bière, un verre, quelque chose. Moi, je vous offre une bière pression. *The stress beer.*

Quoi… la bière stress, ce serait super comme marque de commerce, non ?

Vous aimez tellement ça, la panique. Et le stress.

À preuve, vous avez même accepté de considérer le meilleur remède antistress comme une maladie.

C'est vraiment incroyable. Vous avez réussi à faire de la dépression une maladie.

D'un côté, vous vous dites victime du stress et faites de la pression. Et de l'autre, lorsque vous recevez le médicament qui s'appelle la dé+pression, vous cherchez à la soigner aux antidépresseurs.

J'vous dis qu'Il est très fort, le Père.

Chaque année, je rencontre des dizaines de milliers de personnes grâce à mes conférences, mon journal électronique (*Journal quantique*), mon club d'aventures et mes séminaires.

Chaque année, je fais la même constatation : ceux et celles qui réussissent enfin à entrer ou à croire qu'ils ou elles méritent d'entrer au paradis terrestre en manifestant leurs demandes se sont guéris de la maladie du stress par une bonne dépression.

Pas le genre de dépression qui swigne un jour dans l'enthousiasme démesuré et le lendemain dans l'envie de s'ouvrir les poignets (ça, ça s'appelle la maniacodépression, c'est tout autre chose). Plutôt le type de dépression un peu triste, genre déprime, qui fait qu'on en a marre. Qu'on en a assez. Qu'on veut enfin de vraies réponses.

Alors, voulez-vous plus de pression ou moins de pression ? Incohérent, incohérente, allez.

Si vous voulez, on peut vous aider à faire une bonne dépression, question de passer ensuite en mode compression pour développer vos capacités d'acteur. Non ?

Conseil de Pierre ——————————————————

Toute bonne quête du paradis commence par une perte de pression. La dépression ou le fait d'en avoir assez avec la situation actuelle, peu importe ce qu'elle est, constitue un excellent signe.

Le bonheur, un véritable fléau à enrayer

Ah, nous y sommes.

Le pire de tous les pièges. Le piège ultime. Celui qui a plongé l'humanité entière au fond d'un véritable trou noir depuis je ne sais plus combien de temps : **la recherche du bonheur.**

Tant qu'à interdire des mots, on devrait mettre le mot bonheur aux oubliettes. Et former une Gendarmerie royale, voire un Interpol anti-bonheur.

Vous prononcez publiquement le mot bonheur, on vous colle 200 $ d'amende. Vous lisez un livre sur le bonheur, on vous confisque vos biens. Vous faites secrètement un site Internet ou une émission de télévision qui parle de bonheur, c'est la prison.

Assez !

Le bonheur n'existe pas. Pas sur terre. Ici, c'est le paradis terrestre. Pour la joie et pour son partenaire, la souffrance. Les deux étant toujours temporaires et se volant mutuellement le *spotlight*.

Parlons dorénavant de **la bonne heure.** Ralph Waldo Emerson a dit : « Réussir sa vie, c'est réussir la prochaine heure. »

Pas un enfant sur terre ne parle de bonheur. Les enfants savent comment réussir la prochaine heure. Plutôt que de chercher, parler et être obnubilé par votre quête du bonheur, commencez par réussir à avoir une belle heure.

Tenez, un test : riez-vous au moins une heure par jour ? Je veux dire un véritable fou rire. Pas du genre hahaha, le petit doigt en l'air. Je veux parler d'un fou rire du genre j'ai-mal-au-ventre-et-je-m'en-vais-pisser-par-terre.

Si vous n'avez pas au moins un fou rire par jour, vous êtes malade. Vous avez un malaise.

Prenez le cas de Bob (je cache son identité, vous verrez pourquoi). Bob me dit un jour, en plein spectacle *Demandez et vous recevrez* : « Pierre, moi, je suis heureux quand je joue au golf. » Ce à quoi je réponds : « Bob, j'aimerais tester ce que vous venez de me dire, question de prouver que vous êtes sincère et de bonne foi (je suis après tout scientifique et j'aime moi aussi obtenir certaines preuves empiriques).

« Bob, j'aimerais vous accompagner lors de votre prochaine partie de golf. Tout ce que je vais faire, c'est, à toutes les cinq minutes, vous demander si vous êtes heureux. C'est tout. »

Bob accepte. Quelques jours plus tard, à 5 h 45 du matin, Bob passe me prendre en voiture. Il est en retard. J'ai en main un chronomètre, un stylo et des feuilles lignées divisées en trois colonnes : la première pour l'heure – aux cinq minutes –, la deuxième pour les « oui » et la troisième pour les « non ».

Je commence dès que je suis assis dans le véhicule : « Bob, êtes-vous heureux ? »

« Non ! Je suis en retard. » X – pas heureux.

Une fois au terrain de golf, Bob est si pressé qu'en prenant son sac dans le coffre, il échappe tous ses bâtons sur le sol. Il grogne. X – pas heureux.

Il court ensuite à la cabine pour s'enregistrer et apprend qu'un de ses trois compagnons de jeu n'y est pas et que son quatuor (*foursome* pour les initiés) sera complété par une personne âgée qui exige de marcher le parcours plutôt que de prendre une voiturette. X – pas heureux.

Au tour de Bob de s'élancer sur le tertre de départ. Il frappe la balle… en forêt. Son bois n° 1 prend la direction de la forêt. Je ne lui ai rien demandé : X – pas heureux !

Finalement, ce n'est qu'au dix-septième trou où, tout juste au moment de « putter », Bob me regarde et me dit : « Ah, là, je suis heureux. » Puis il s'exécute, rate son coup roulé, récite le chapelet. X – pas heureux.

Je vais dire comme Bob : le golf, ça le rend heureux !

> Et vous, quand passez-vous une belle heure ?

Voilà. Nous venons de terminer la tournée des principaux pièges du Père. Et il y en a d'autres. Beaucoup d'autres. Mais vous avez les principaux.

Vraiment pas reposant, le Vieux Barbu, n'est-ce pas ?

Sauf que vous et moi ne nous ferons plus prendre si facilement dans Ses trappes à souris.

Quoiqu'il faudra bien s'enfarger de temps en temps si on ne veut pas que le Père découvre qu'on a découvert ce qu'Il ne voulait pas qu'on découvre. Allez, foncez, je vous couvre.

Les meilleures sources d'indices

Dieu, dans sa grande sagesse, comprit qu'Il devait avoir quelque peu pitié de Lui-même comme de son Fils. Il songea alors à se donner quelques indices qu'il écrivit au stylo dans la paume de la main de son Fils. Dieu vit que cela était bon.

Comme tout bon père (ou toute bonne mère), Dieu n'a pu s'empêcher de nous laisser malgré tout quelques indices pour nous assister dans notre jeu.

Après tout, à quoi bon payer très cher pour avoir le meilleur acteur pour un rôle principal si on ne lui donne pas une belle loge, un ou deux cascadeurs, et quelques souffleurs au besoin?

Mais ne vous faites pas trop d'illusions : les indices du Père, c'est rare comme de la déjection papale. Vous n'aimez pas ça quand je parle de marde? Préparez-vous, outre « Père » et « Fils », c'est le mot que j'utilise le plus souvent dans ce livre. Vous verrez bientôt pourquoi.

Une histoire de couche

Ici, plus de surprise, tout le monde a lu ou entendu au moins une fois dans sa vie que le paradis est à ceux qui sont comme les enfants. Du moins, les enfants qui ne sont pas encore dogmatisés, stigmatisés et traumatisés par leurs parents et leurs éducateurs.

Comme source d'indices, à mon humble avis, il n'y a pas mieux. Au point que je cherche tous les jours de nouveaux moyens d'avoir encore plus d'enfants. J'avoue que ma femme, après cinq, commence à trouver que ça suffit. Pas grave, j'en louerai au besoin sur www.rentakid.com ou louezunenfant.com.

Je vous invite donc à bien observer le comportement des enfants et à voir comment vous pouvez intégrer ce qu'ils font à votre processus de réalisation d'une demande.

Je vous rappelle (cela fera en détail l'objet du deuxième chapitre de ce livre) que votre chasse au trésor consiste à faire matérialiser une demande. Ainsi, chaque indice de ce chapitre doit être pris dans le contexte de cet objectif précis. Pas de piétinage, SVP. Ne lisez pas les indices simplement par curiosité.

Quelle est votre demande principale actuellement, dans votre vie ? Cet exercice devrait être assez simple pour vous si vous avez lu *Demandez et vous recevrez.*

Si vous lisez sans avoir une demande déjà écrite sur papier, faites une pause et trouvez quelque chose pour écrire. Si vous avez une demande écrite, vous pouvez continuer.

Prenez maintenant la journée pour observer les comportements des enfants de votre entourage **en maintenant à l'esprit votre demande.** Voyez si vous ne parvenez pas à extraire un comportement que vous devriez appliquer. Il y en a un. Il y en a toujours au moins un.

S'il te plaît, dessine-moi un mouton

Justement, un exemple de comportement d'enfant que vous pourriez très bien fusionner à votre demande est extrait du merveilleux *Petit prince,* d'Antoine de Saint-Exupéry (oui, un conte merveilleux, pas un livre de psycho pop du genre *Les 24 étapes de rigueur pour trouver le bonheur*).

Dans ce conte, le prince demande à son visiteur de lui dessiner un mouton. Après plusieurs tentatives, le visiteur ne parvient toujours pas à dessiner un mouton au goût de l'enfant. Il finit par lui dessiner une boîte à l'intérieur de laquelle serait caché le mouton, ce qui plaît beaucoup à l'enfant.

Quel indice devriez-vous extraire de ceci ? Que vous devez **développer votre imagination** à un point tel que vous serez capable de parfaitement visualiser la matérialisation de ce que vous voulez, même au point de demander le genre de nourriture qu'il faut au mouton imaginaire, dans la boîte.

Einstein et la physique quantique

Tel que mentionné en introduction, ma plus grande énigme à moi est de comprendre comment appliquer $E = mc^2$ à la réalisation de tous mes désirs. $E = mc^2$ est certes un des plus beaux indices du Père pour nous assister dans notre quête du paradis terrestre.

Cette équation que je me plais à citer et à citer encore dans tous mes livres et conférences suggère des conséquences incroyables.

Suivez le raisonnement qui suit. Si vous acceptez chacune de ses étapes, vous devrez accepter la conclusion.

Note : À chaque étape, vous devez dire oui ou non. Si vous dites oui, continuez à l'étape suivante. Si vous dites non, faites-vous soigner !

1. Vous avez un système nerveux.

2. Votre système nerveux transporte de l'énergie à travers son réseau de synapses, dendrites et neurones.

3. Vos pensées génèrent donc de l'énergie (ici, même les personnes les plus sceptiques de la terre doivent commencer à cesser de se ridiculiser en pensant que les pensées n'exigent pas d'énergie pour circuler. Ce n'est pas parce que nous n'avons pas encore développé l'équipement pour mesurer nos ondes-pensées qu'elles n'existent pas).

4. Qui dit circulation d'énergie dit création d'ondes (principalement électromagnétiques).

5. Et qui dit énergie et ondes peut l'appliquer à $E = mc^2$. Donc vos pensées, par l'énergie qu'elles génèrent, influencent votre entourage jusqu'à se matérialiser (si vous avez beaucoup, beaucoup d'énergie) ou jusqu'à créer des occasions pour que vous bougiez vos fesses pour les matérialiser, ou jusqu'à ce que vous voyiez différemment votre entourage pour à nouveau bouger vos fesses et poser des gestes pour matérialiser vos demandes.

Pigé? Une pensée génère de l'énergie. L'énergie génère une onde. Cette onde influence votre monde.

À partir de maintenant, vous devez comprendre que chacune, CHA-CUNE de vos pensées influe sur le film dans lequel vous jouez. Devenez immédiatement observateur de vos pensées.

Seulement voilà: pas simple le détail de la physique quantique ni la démonstration mathématique de $E = mc^2$. Le vilain Père a réservé cette superbe capacité aux cerveaux les plus sophistiqués de la terre pour que nous ne comprenions pas trop vite toute l'influence que nous pouvons avoir sur le scénario du film, lorsque nous nous mettons à bien observer et filtrer nos pensées.

Heureusement que le cinéma et les artistes commencent à nous vulgariser tout ça.

Non, Père, à la gang, Tu ne nous auras pas!

La pierre de Rosette

Autre indice. Comme vous voyez, Dieu est assez chiche là-dessus.

Parlons des paraboles. Pourquoi diable nous envoyer des messages en paraboles et nous dire par-dessus le marché: «Que celui qui a des oreilles pour entendre entende.»

Mais là, vous vous dites sans doute: «Sapristi de chien battu, j'en ai, des oreilles. J'en ai deux et, pourtant, je n'arrive pas à comprendre les foutues paraboles. Il est où, le satané Q-tip *parabolicus deblocus* que je décrasse mes oreilles et comprenne enfin?»

Ne vous en faites pas, nous approchons de la partie sur les renforts. Le Fils, capitaine de notre équipe, s'en vient avec explication et décodeur.

Pour le moment, comme je vous l'avais dit, Dieu ne laisse que quelques petites traces d'indices. Pourquoi ? Parce que nous sommes très bons joueurs. Si tout était trop clair, nous aurions déjà eu Darth Vader en trois minutes. Yoda aurait gagné dès le début.

Les paraboles doivent être déchiffrées dans le contexte de chaque demande, comme la pierre de Rosette (qu'on n'a déchiffrée qu'après de nombreuses années de tentatives de comprendre les hiéroglyphes).

Le mot le dit, les paraboles, c'est para+bolus, « pour les bolés ». Jésus, au secours !

Conseil de Pierre

Les textes religieux tout comme les équations de physique quantique ne livrent pas leurs secrets facilement. Il faut les mûrir longuement et apprendre à les interpréter par soi-même.

Salut, mon Christ... euh, mon Krishna

« Cette fois, Pierre, tu dépasses les bornes. Un peu de respect, quand même. »

J'avoue que parfois je me choque moi-même. Mais ça ne dure pas longtemps. Trente secondes après, je me traite de mauviette, je me donne une gifle et me réveille.

L'interdiction de prononcer des mots sacrés, quel piège ! Qu'est-ce qu'un sacre ? Un mot qu'on ne peut pas dire sous peine d'insulter quelqu'un, Dieu ou quelque chose. Et si Dieu avait caché de précieux indices derrière chaque sacre imprononçable ?

Avez-vous déjà remarqué que les mots dits sacrés ne sont pas les mêmes dans tous les pays ? C'est un peu comme si Dieu nous avait laissé un indice en laissant des miettes de vérité dans chaque pays.

Les sacres sont souvent représentatifs des blocages d'une société. Par exemple, ici, nos blocages sont religieux.

Saviez-vous qu'en Inde plus de 500 millions de personnes se disent bonjour chaque jour avec grande déférence en disant : « Salut, mon Christ » ? Ne sursautez pas, elles disent vraiment *« Hare Krishna »* ou « Salut, mon Christ », puisque Krishna = Christos = Christ.

Même que les hindous recommandent de répéter des centaines de fois par jour, à haute voix, les mots Krishna, Rama, Shiva. Cinq cents millions de personnes ! Pour les propriétés magiques et énergétiques du nom de Dieu. Si ça marche tant que ça, on se doit de l'essayer.

Pour le reste de la semaine, vous devez donc chaque jour dire au moins 100 fois à haute voix : calice, tabernacle, ciboire. Pourquoi pas « Salut, ciboire de calice ! », question d'être un peu original ?

Si les chefs religieux de plusieurs centaines de millions de personnes ont trouvé que la récitation des noms de Dieu, avec amour, respect et dévotion, nous donne de l'énergie et nourrit notre âme, nous avons intérêt à nous servir au plus vite de leur expérience.

Alors commencez tout de suite : Krishna, Râma, Shiva. Calice, tabernacle, Christ.

One, two, on recommence.

Que nous sommes constipés, vous ne trouvez pas ? (Eh oui, je parle encore de marde. Patience, vous verrez pourquoi.)

Le 8e jour, Dieu créa… la marde

L'attraction des opposés (proton et électron) est un des indices les plus intrigants laissés par Dieu. Peut-être aussi le plus facilement reconnaissable.

En effet, il est assez facile pour chacun de constater qu'il faut du noir pour apprécier le blanc, du chaud pour connaître le froid, le haut pour trouver le bas.

Bref, un pôle opposé permet de mettre en évidence l'autre pôle. Ça, c'est de l'indice.

Tout comme je vous recommandais précédemment d'étudier vos ennemis pour trouver des réponses, faites la même chose pour tout ce qui semble en opposition avec ce que vous cherchez à voir se matérialiser.

Dieu nous donne ici l'indice qu'Il cache de nouveau ses meilleures réponses dans ce que nous tolérons le moins.

Le diable doit posséder toute une collection de réponses. Parlez-en à nos voisins états-uniens qui voient dans le sexe l'incarnation la plus totale du mal alors que la transmutation sexuelle est presque à elle seule la meilleure batterie pour nourrir une demande. Justement, quels sont pour eux les mots sacrés ? *Shit, fuck,* etc., des mots reliés au sexe et aux excréments. Encore la merde. Eh oui. Nous y sommes enfin.

Voici d'ailleurs une des phrases les plus importantes de ce livre. Cœurs sensibles, s'abstenir.

Si vous venez de manger, attendez avant de lire ce qui suit.

Dieu a caché l'indice suprême dans la marde.

Dieu, dans sa brillantissime stratégie, a placé l'outil par excellence pour exposer toutes vos demandes dans ce que l'humain trouve de plus répugnant. La dernière chose au monde qu'il veut voir ou dont il veut entendre parler (sauf qui ? Les enfants : caca, pipi, caca, prout, prout… ça vous dit quelque chose ?).

Voici le secret des secrets : ***holy shit*** !

> **Et Dieu se dit en lui-même, en se frottant la barbe, en plein orgasme stratégique : « Je vais rendre très désagréable pour les sens l'ingrédient le plus utile au jeu : la marde. L'engrais par excellence. Les problèmes seront la meilleure terre pour faire pousser une demande. Le diable sera le suprême allié. La formule magique sera cachée dans les excréments ! »**

Wow. Ça, c'est de la magie. Du salagadou la menchikabou la bibbidi-bobbidi-bou pure laine (vous ne vous rappelez pas *Le cycle de rinçage* ?).

À la base même de toute l'aventure de la race humaine, à la base même de ce livre, l'ultime prémisse derrière cette chasse au trésor, la grande constante, le grand déclencheur, **c'est que Dieu s'emmerde.** Il se noie tellement dedans (em+merde) qu'Il envoie son Fils unique se débrouiller avec toute cette merde, question de s'amuser.

> **Et Dieu de poursuivre : « Cette fois, personne ne trouvera la conclusion du livre avant la dernière page. Personne ne devinera qui est le meurtrier avant la dernière minute du film. Ce ne sera pas aussi facile que de simplement découvrir que le colonel Mustard a tué le professeur Plum dans la *kitchen* avec le *candlestick*. Les indices sont en effet bien cachés. Parfaitement déguisés sous les ennemis, les enfants, les opposés et la marde.**

« *Holy shit* que je m'amuse !

« *Holy shit* que je suis fier de moi !

« Lorsque toi, mon Fils, toi, ma Fille, vous aurez compris qu'au paradis terrestre, même la merde est sainte, vous aurez trouvé le meilleur outil qui soit pour compléter facilement cette chasse au trésor. À ce moment, et à ce moment seulement, je m'avouerai vaincu et vous assisterai dans toutes vos demandes. »

Ainsi Dieu promit que lorsque vous sanctifierez même la marde, Il vous trouvera bon.

Et Dieu de poursuivre : « Cette fois, personne ne trouvera la conclusion du livre avant la dernière page. Personne ne devinera qui est le meurtrier avant la dernière minute du film. Ce ne sera pas aussi facile que de simplement découvrir que le colonel Mustard a tué le professeur Plum dans la *kitchen* avec le *candlestick*. Les indices sont en effet bien cachés. Parfaitement déguisés sous les ennemis, les enfants, les opposés et la marde.

« *Holy shit* que je m'amuse !

« *Holy shit* que je suis fier de moi !

« Lorsque que toi, mon Fils, toi, ma Fille, vous aurez compris qu'au paradis terrestre, même la merde est sainte, vous aurez trouvé le meilleur outil qui soit pour compléter facilement cette chasse au trésor. À ce moment, et à ce moment seulement, je m'avouerai vaincu et vous assisterai dans toutes vos demandes. »

Ainsi Dieu promit que lorsque vous sanctifierez même la marde, Il vous trouvera bon.

2

Comment devenir un meilleur Dieu dans notre rôle de Fils

« Au nom du Père », c'est réglé. « Et du Fils », nous y voilà. Maintenant que nous avons discrètement épié le Père dans son désir d'orchestrer une chasse au trésor plus difficile pour son incarnation en tant que Fils, à nous de jouer.

Comme notre but est de battre Dieu à son propre jeu, il est temps, en tant que joueurs, de tenir un caucus stratégique.

Pour acculer Dieu au pied du mur, nous devons réussir à manifester chacune de nos demandes, le plus aisément possible, **sans toutefois priver le Père d'un bon spectacle.** Et surtout, sans lui donner l'impression qu'une fois notre demande reçue, nous allons nous asseoir dessus et ne plus rien demander.

J'ai donc analysé pour vous les meilleures approches afin de trouver le paradis ici même, sur terre. Comme le chante Jean-Pierre Ferland dans sa superbe chanson *Une chance qu'on s'a*: « Le paradis, c'est ici. »

D'ici la fin de ce chapitre, vous serez équipé comme un pro pour le trouver, ce saint esprit de trésor.

Vous saurez exactement comment vous rendre à la droite du Père, tout en évitant son uppercut.

ATTENTION

Ne lisez pas ce chapitre si vous n'êtes pas du genre à télécharger les *cheat codes* (codes de triche) lorsque vous êtes bloqué dans un jeu vidéo.

Ceci est un chapitre pour tricheurs seulement. Un chapitre pour vous si vous êtes prêt ou prête à mettre un pied dans le côté obscur de la Force, à la Anakin Skywalker, afin de rééquilibrer les forces entre le Père et le Fils, entre l'ordre et le désordre. Vous êtes prévenu !

Ne venez surtout pas pleurnicher sur mon épaule dans quelques mois en disant : « Pierre, pourquoi, mais pourquoi m'as-tu révélé ces tactiques maudites ? Maintenant, le mystère a disparu. Maintenant, je connais la réalité de la Matrice. Je veux me rendormir et recommencer à me battre, à bûcher pour mériter chacune de mes demandes. Je t'en prie, je veux à nouveau gagner ma vie à la sueur de mon front. *Pleeeeeeaaaaaase* ! »

Bon, allons. Passons au manuel d'entraînement pour dieux en devenir. Il se subdivise en **3 points** :

1. les principes de base – en toile de fond ;

2. les deux grandes options ou tactiques de chasse au trésor – question de style ;

3. les exercices ou le maniement des outils/armes.

Les conseils du capitaine

En ce temps-là vivait un héros du nom de Fils. Ce héros avait déjà des milliers de fois rejoint son Père au paradis du ciel mais, chaque fois, s'était vu refuser le siège à la droite de son Père. Pourquoi ? Parce qu'au ciel, il n'y a qu'un siège. Celui du Père qui prend toute la place.

Le héros comprit que saint Pierre n'était pas le gardien de la porte du paradis mais le premier en file d'attente pour retourner jouer sur terre.

Fils choisit donc cette fois de jouer le jeu de manière différente : en gagnant sans jamais gagner. Mieux encore, il opta pour une approche de groupe. Il bâtit une équipe et en devint vite le capitaine. Pour ne pas éveiller la suspicion du Père, Fils continua chaque jour d'offrir une prière en guise de trompe-l'œil. Fils se coucha sur le sol pour que le Père ne vit pas son sourire en coin. Fils n'accepterait jamais plus de se faire traiter de poussière.

Ce chapitre donne un aperçu des principes de base essentiels pour vivre dans le paradis terrestre.

Comme les écrits de l'Occident sont souvent trop moralisateurs et ceux de l'Orient trop cérémonieux (ou trop au pied de la lettre), je vous donne ici quelques écrits tirés du *guide du capitaine* touchant les concepts incontournables d'un bon chasseur de trésor.

Voici le temps venu d'une approche empreinte de Foi applicable, moderne et pratico-pratique.

Il n'y a au total que **5 principes** à maîtriser. Ils sont **tous** requis pour bien performer et bien se comporter sur le terrain de jeu. Et ils ont un ordre.

1. la condition du risque ;

2. l'importance d'une position désavantageuse au départ ;

3. la loi du moindre effort ;

4. la maîtrise du point de non-retour ;

5. l'expérimentation et le principe de la boîte.

Le veau gras et les couilles

Une des plus étranges histoires de la Bible est certes celle du Fils pro-digue. Elle illustre le premier principe. Vous verrez. Voici la parabole :

> Jésus dit encore : « Un homme avait deux fils. Le plus jeune dit à son père : "Père, donne-moi la part d'héritage qui me revient." Et le père fit le partage de ses biens.
>
> Peu de jours après, le plus jeune rassembla tout ce qu'il avait, et partit pour un pays lointain où il gaspilla sa fortune et mena une vie de désordre. Quand il eut tout dépensé, une grande famine survint dans cette région, et il commença à se trouver dans la misère.
>
> Il alla s'embaucher chez un homme du pays qui l'envoya dans ses champs garder les porcs. Il aurait bien voulu se remplir le ventre des gousses que mangeaient les porcs, mais personne ne lui donnait rien. Alors il réfléchit : "Tant d'ouvriers chez mon père ont du pain en abondance, et moi, ici, je meurs de faim ! Je vais retourner chez mon père et je lui dirai : "Père, j'ai péché envers le ciel et contre toi. Je ne mérite plus d'être appelé ton fils. Prends-moi comme l'un de tes ouvriers."
>
> Il partit donc pour aller chez son père. Comme il était encore loin, son père l'aperçut et fut pris de pitié ; il courut se jeter à son cou et le couvrit de baisers. Le fils lui dit : "Père, j'ai péché en-

vers le ciel et contre toi. Je ne mérite plus d'être appelé ton fils." Mais le père dit à ses domestiques : "Vite, apportez le plus beau vêtement pour l'habiller. Mettez-lui une bague au doigt et des sandales aux pieds. Allez chercher le veau gras, tuez-le, mangeons et festoyons. Car mon fils que voici était mort et il est revenu à la vie ; il était perdu et il est retrouvé." Et ils se mirent à festoyer.

Le fils aîné était aux champs. À son retour, quand il fut près de la maison, il entendit de la musique et des danses. Appelant un des serviteurs, il demanda ce qui se passait. Celui-ci répondit : "C'est ton frère qui est de retour. Et ton père a tué le veau gras, parce qu'il a vu revenir son fils en bonne santé."

Alors le fils aîné se mit en colère et il refusa d'entrer. Son père, qui était sorti, le supplia. Mais son fils aîné répliqua : "Il y a tant d'années que je suis à ton service sans avoir jamais désobéi à tes ordres, et jamais tu ne m'as donné un chevreau pour festoyer avec mes amis. Mais quand ton fils que voici est arrivé après avoir dépensé ton bien avec des filles, tu as tué le veau gras !" Le père répondit : "Toi, mon enfant, tu es toujours avec moi, et tout ce qui est à moi est à toi. Mais il fallait festoyer et se réjouir, car ton frère que voici était mort et il est revenu à la vie ; il était perdu et il est retrouvé." »

Quelle injustice !

Non mais, vous auriez accepté ça, vous, que le petit salaud qui se tire et part toutes ces années, sans donner de nouvelles ni contribuer à la croissance de l'entreprise familiale, se fasse dérouler le tapis rouge à son retour ? Le tapis rouge, le plus beau vêtement, et une bague au doigt, en plus du veau gras ! Si j'avais été le grand frère, ce n'est pas au doigt que junior aurait eu sa bague.

Dites-moi maintenant pourquoi. Pourquoi Dieu gâte-t-Il tellement celui qui a foutu le camp alors que l'autre fils lui demeurait fidèle et le servait?

Ha! Vous commencez à comprendre, là, n'est-ce pas?

Le fils qui est resté aux côtés du père, **c'est un téteux.** Un ennuyant.

Bien sûr qu'il est serviable, qu'il se lave tous les jours, qu'il se brosse les dents après chaque repas et qu'il est bien rangé. Mais il est quand même plate à mort.

Or, comme je l'ai déjà écrit plusieurs fois, Dieu s'emmerde! (Vous ne croyez tout de même pas que je vais cesser de parler de marde?)

L'autre fils a quant à lui pris un risque.

Un risque: il a tenté de provoquer quelque chose. Il s'est lancé dans une aventure remplie d'imprévus: ça, c'est **excitant.** Ça, c'est une raison pour le père de se lever chaque matin et de se taper sa routine.

Le père peut à travers son fils vivre des choses qu'il ne peut pas faire seul. Pas de veau gras pour le fils conservateur! Pas de risque, pas de film. Pas de film, pas de Dieu.

Le résultat? Même si son aventure semble en apparence échouer, Dieu le couvre de trésors. Bingo!

Pour que vos prières et vos demandes se manifestent, vous devez attirer l'attention de Dieu. Vous devez faire en sorte qu'Il vous remarque. Vous devez être divertissant.

Vous, parlez-vous à chacune des cellules de votre corps chaque jour? Vous le faites lorsqu'il y a douleur ou plaisir. Lorsqu'une cellule attire votre attention.

Les premiers seront les derniers

Deuxième message étrange de Jésus : « Les derniers seront les premiers, et les premiers seront les derniers. »

Soyons sérieux une minute. Vous, lorsque vous allez chez Wal-Mart (OK, je sais que personne n'aime ses propriétaires, mais vous y allez quand même, n'est-ce pas ? Vous n'y allez jamais ? Menteuse ! Menteur !) ou à l'épicerie, passez-vous en dernier quand vous êtes le premier de la file d'attente à la caisse ?

Au parc d'attractions, vous placez-vous volontairement à la fin de la zone d'attente avec l'espoir que le préposé à la montagne russe aille vous chercher en premier ?

Et vos enfants, sont-ils nés du dernier ou du premier spermatozoïde à atteindre l'ovule ?

« Les derniers seront les premiers, et les premiers seront les derniers. » Quelle phrase ridicule !

À moins qu'on nous prenne pour des imbéciles et que ça veuille dire que les derniers en file d'attente seront les premiers à chialer parce que c'est trop long, ou encore les premiers à abandonner la file et à rater le manège ? Non, il doit forcément y avoir une autre interprétation.

Capitaine, s'il vous plaît ? (Oh ! C'était un tout petit bateau... Y a Gilligan, le capitaine, le millionnaire, son épouse, la jolie star, et leurs amis, sur l'île de Gilligaaaaaaan ! Excusez-moi, il m'a pris comme une envie de chanter !)

La vraie réponse : les derniers sont les premiers
à attirer l'intérêt du Père.

Mais oui, toujours la même histoire. Le Père n'a pas d'intérêt pour vous si vous avez déjà tout réussi. D'où le deuxième principe : l'importance d'une position désavantageuse au départ.

Par exemple, pour jouer le jeu de perdre du poids, il faut d'abord être gros. Le plaisir se cache maintenant dans les activités qui permettront de perdre le surplus de graisse.

Si vous avez des problèmes et que vous semblez toujours être le dernier, **soyez content.** Vous aurez un rôle principal dans le film.

Vive le bas de l'échelle !

Vous devez maintenant bien comprendre que c'est un atout extraordinaire que de partir en position défavorable. Plus vous êtes défavorisé au départ de votre quête, **mieux c'est.**

Peut-être est-ce difficile à croire mais je vous prie de garder ça bien en tête. Ayez la foi, maudite marde !

Prenez par exemple le cas d'une équipe Cendrillon ou de celui de qu'on appelle en anglais un *underdog,* celui qu'on donne perdant.

Ne trouvez-vous pas très excitant de voir une équipe Cendrillon qui fait son chemin dans les séries éliminatoires ou de la coupe du monde ? Voir un film à petit budget remporter un oscar devant le *blockbuster* tout droit sorti des grands studios ?

Au début, personne n'y croit. Personne ne veut même les voir. Mais plus ça avance, plus tout le monde chante en leur faveur. Ohé, ohé ! Ohé, ohé !

Pourquoi ? Pourquoi encouragez-vous le défavorisé lorsque vous commencez à voir qu'il a une chance de gagner ? Toujours la même réponse : **c'est plus excitant.** C'est du nouveau.

Il y a une vingtaine d'années, l'agence de location de voitures Avis tentait de remonter sa cote de popularité et d'augmenter son chiffre d'affaires annuel. Le géant Hertz dominait nettement le marché en nombre de voitures louées chaque jour en Amérique.

Pour attirer l'attention du public, Avis a utilisé une stratégie de sympathie et a choisi comme slogan « Nous sommes deuxièmes, et nous travaillons plus fort. » (« *We're second best, we try harder.* »).

À lire ça, on a presque envie de courir chez Avis pour les aider à devenir numéro un. « Ils sont tellement *cuuuute*! » dirait-on d'eux comme on décrirait une portée de chatons.

Nous aimons tous appuyer l'*underdog,* la surprise, l'équipe Cendrillon. Dieu aussi.

Vive le bas de l'échelle! Sauf que partir au bas de l'échelle ne veut pas dire monter chaque barreau lentement mais sûrement. Petit train va **pas** loin!

Partir au bas de l'échelle veut dire attirer l'attention du Père pour ensuite trouver comment passer par-dessus tous les barreaux.

Vous voulez donc démarrer le programme en étant malade, déprimé, pauvre, gros, plein de problèmes. Un **buffet** de problèmes, ça c'est idéal.

Si c'est votre cas, considérez-vous comme chanceux. Vous êtes béni… de Dieu.

Prenez le cinéma. Vous avez sûrement apprécié des films comme *Rudy, Facing the Giants* ou *Forrest Gump? Forrest Gump,* mon Dieu : quel film! Et quel pauvre mec. Pourtant, il reçoit absolument tout. De la poignée de main du président à la fortune.

La paresse intelligente : un sens à la vie

Jusqu'à présent, notre capitaine nous a montré **2 choses** :

1. il faut prendre des risques ;

2. il faut partir à la queue du peloton pour faire une super-remontée.

Notre troisième principe de base : la paresse ! Paresse dans le sens de « loi du moindre effort ». Dans le sens de « trouver la rivière puis se placer au milieu, dans le sens du courant ».

Bien sûr, il faut faire l'effort de trouver la rivière puis de se lancer dedans. Mais une fois dans l'eau, il est absolument ridicule de chercher à nager à contre-courant.

Je ne sais pas pour vous mais, de mon côté, je préfère nettement faire matérialiser mes demandes avec le moins d'efforts possible. Travailler, *come on*, j'ai pas que ça à faire ! De cette façon, j'ai beaucoup plus d'énergie pour jouer.

Bon, bon, je vous entends d'ici : « Qu'il est insouciant. En plus, il a cinq enfants, les pauvres. Y va finir dans rue ! »

Pourquoi avez-vous tant de difficulté à concevoir que nous sommes sur terre pour jouer ? Si vous voulez accéder au paradis terrestre, vous devrez apprendre à jouer. Beaucoup. J'y reviendrai plus loin.

Prenez le cas de Bob (oui, encore lui).

Bob m'a dit un jour que son rêve, dans la vie, c'est de voir un coucher de soleil. Un magnifique coucher de soleil, avec le ciel qui passe par toute la gamme des couleurs, du rouge à l'indigo puis au violet.

Chaque matin, Bob se lève à 4 h pour s'entraîner. Il casse cinq œufs dans un verre, sans les brasser, et les avale d'un coup comme Rocky Balboa.

Ensuite, il prend de la racine de vie, du milleperpatente, du ginkgo bilobadaboum et de la glucosaminet pour maintenir son énergie.

Puis il court, il court toute la journée, en route vers son coucher de soleil.

Sauf que Bob court vers l'est.

Son cousin, Joe, qui pèse 800 livres, passe ses grandes journées évaché dans son gros fauteuil vert à manger des crottes de fromage, à regarder les infopublicités et à dormir. Quand il se réveille à 20 h, il se lève en fixant l'ouest, se gratte le paquet, lâche un pet et vlan! coucher de soleil.

Non mais, il l'a-tu la recette : aucun effort, aucun entraînement, coucher de soleil. *Yes!*

Le pauvre twit à Bob, lui, ne le verra jamais, malgré tous ses efforts et tout son entraînement. Bob va dans le mauvais sens. Il ne se pose jamais la question. Il court comme un hamster dans sa roulette métallique.

Ne cherchez-vous pas, vous, en lisant ce livre, un sens à votre vie? C'est ça : un sens. Nord, sud, est, ouest. Apprenez à vous placer dans le sens du courant.

Les humains font aussi partie de la nature. La loi du moindre effort, ça s'applique aussi à nous.

◎ ◎ ◎

Un aparté :

Comme je viens de mentionner le mot infopub, je ne peux m'empêcher de partager quelque chose avec vous.

Avant de donner une conférence ou un spectacle, j'ai un moyen incontournable pour me détendre : j'écoute soit les débats de l'Assemblée nationale – M'sieur le Président, le député du comté de Chihuahua jappe trop fort.

Je regarde aussi les infopubs. Un grand moment de détente avec Louise-Josée Mondoux. Quel divertissement !

Ces jours-ci, mon infopub favorite parle d'une nouvelle *mop* aux pouvoirs hallucinants.

Au début, on voit une pauvre femme d'environ 4 pieds 2 pouces, le dos rond, qui passe la vadrouille le dos courbé. Tout est en noir et blanc. Ce qu'elle a l'air déprimé ! À un certain moment, elle tourne la vadrouille pour se reposer et comme elle a à peu près la même coiffure que la vadrouille, on ne sait plus qui est la dame et qui est la *mop*.

À ce moment, le soleil entre dans la pièce, la nouvelle *Mop and Glow* apparaît. Tout devient jaune (je ne sais pas pourquoi, mais tout devient toujours jaune dans les infopubs).

Ça y est, sa vie vient de changer du tout au tout. Du coup, elle se met à gambader en vadrouillant, son mari n'a plus d'éjaculations précoces, ses ados font finalement le ménage de leur chambre, c'est le paradis. Grâce à la *mop* ! Vous voyez bien que vous n'avez pas besoin de livres de psycho pop, faites le ménage avec la bonne *mop, that's it* !

Vive les infopubs et l'Assemblée nationale.

◎◎◎

Le sentier en lames de rasoir

Quatrième principe : la maîtrise du point de non-retour. Ce que les Anciens appellent « marcher sur le sentier en lames de rasoir ».

Ce principe s'explique facilement si on comprend que pour jouer au paradis terrestre, il faut se rendre tout près du trésor, puis faire semblant qu'on ne l'a pas vu.

Mieux encore : on peut trouver le trésor, puis faire semblant que ce n'était pas le bon et, très vite, recommencer une nouvelle chasse.

C'est justement la raison du précepte du philosophe chinois Lao Tseu, *Le temps ne respecte pas ce que l'on fait sans lui.* En fait, il faudrait dire : « Dieu n'a pas intérêt à vous regarder gagner trop vite. »

Au cours de mes différentes explorations, j'ai vu des phénomènes que je n'arrive toujours pas à m'expliquer. Certains maîtres ou saddhus ont d'étranges pouvoirs. Ces individus très spéciaux (et très étranges) ne se servent presque jamais, du moins publiquement, de leurs siddhis (mot sanskrit désignant des pouvoirs hors du commun).

J'ai déjà posé la question à l'un d'eux : pourquoi mettre autant de mystère autour de ce type de phénomène ? Pourquoi ne pas tout simplement en faire la démonstration et expliquer aux autres comment atteindre les mêmes performances ? Il m'a répondu : « C'est exactement ça. C'est exactement ce que je fais. »

Je ne comprenais vraiment pas du tout.

« Pour obtenir des siddhis, il faut refuser de s'en servir à des fins de gains rapides. Sinon, tout le cirque recommence. Nous redevenons Dieu tout de suite. Avec tout mais sans aucun intérêt. Si je n'utilise pas régulièrement ces aptitudes, c'est justement pour demeurer enfant. Pour que le temps me respecte. Je ne veux pas du tout redevenir Dieu. »

Un peu frustrant, ce type d'explication paradoxale. Il faut croire qu'on s'y habitue.

Maîtriser le paradoxe d'avoir sans vraiment avoir. Voilà le quatrième principe pour bien jouer.

Un acteur sait très bien qu'il est en train de jouer un rôle, mais il fait de son mieux pour prendre la peau du personnage et faire semblant. Il joue son rôle si bien que l'auditoire l'identifie à son personnage. Un peu comme nous identifions spontanément Roger Moore ou Sean Connery à James Bond et à rien d'autre.

Même chose pour vous. Jouez le jeu. Marcher sur le sentier en lames de rasoir signifie marcher tout juste au bord du précipice sans y tomber.

Devenez riche en maintenant un cœur de pauvre est un autre exemple de ce paradoxe. Vous avez tout mais vous agissez comme si vous n'aviez rien.

Mangez tout un buffet en ayant encore faim (merci, Mom).

En d'autres mots, vous donnez toujours l'impression à l'auditoire d'en vouloir plus, d'avoir des réserves. Ça, ça garde les feux de la rampe du Père bien allumés sur vous.

Faites 30 fois le manège des poupées, à Disney, sans crainte d'être pris avec la chanson dans la tête – là je vous ai (cette fois, elle vous restera dans le ciboulot : *It's a small world after all, it's a small world after all...* Vous n'arriverez pas à vous endormir ce soir, na na na !).

Et, pourquoi pas, rendez-vous à la jouissance sans éjaculer et sans vous endormir (cette phrase s'applique aussi à vous, mesdames...). Difficile. Difficile mais possible.

Je vous propose là-dessus un exercice, question de voir votre sérieux à vous entraîner : un mois de sexe en passant tout près d'atteindre l'orgasme, en ne passant pas le point de non-retour. Voyons après l'énergie que vous aurez et à quel point vous serez devenu un meilleur acteur, une meilleure actrice (je sais, plusieurs dames sont déjà d'excellentes actrices à ce sujet... Hé, ne me disputez pas ! Ce n'est pas ma faute si votre partenaire est trop pressé).

Bref, entraînez-vous à frôler votre état divin sans devenir Dieu.

Vous avalez vraiment n'importe quoi

Dernier des cinq principes du capitaine : l'expérimentation. Se fier sur ses propres expériences pour choisir ses points de vue. Reprogrammer sa foi.

Voilà bientôt six ans qu'est paru le livre *Demandez et vous recevrez*, dans lequel j'ai mentionné l'importance de tester, tester et tester avant d'acheter n'importe quel principe comme une vérité absolue. Et pourtant, vous achetez toujours n'importe quoi !

À preuve :

Selon vous, qu'est-ce qui influence les marées ? Qu'est-ce qui fait que les nappes d'eau ont un niveau qui monte puis descend de façon régulière ?

Si vous avez répondu « la lune », vous vous êtes trompé.

Mais vous prenez ça où, toutes ces niaiseries ? Dans les magazines à potins ?

Vous êtes en train de me dire que vous avez vous-même mesuré l'influence de la lune sur les marées ? Vous vous êtes rendu au bord d'un fleuve ou d'un océan et vous avez mesuré avec un appareil l'influence de la lune sur la marée ? Bien sûr que non.

Vous connaissez Nikola Tesla ? Il est un des plus grands génies et inventeurs de l'histoire, contemporain de Thomas Edison. C'est ce génie qui a découvert le courant alternatif (AC). Il a aussi fait beaucoup de recherches sur les champs magnétiques et sur les plaques tectoniques.

Les plaques tectoniques constituent d'immenses morceaux de croûte terrestre qui flottent sur le magma au centre de la terre. Comme la terre est en rotation, le magma oscille et varie en épaisseur. Comme les plaques reposent sur ce magma, elles ont aussi un mouvement de bas en haut et de haut en bas.

Les océans à leur tour reposent sur ces plaques, et le tour est joué.

C'est ça, la cause des marées. La lune ? Au secours ! Vous avalez vraiment n'importe quoi.

J'imagine aussi que vous croyez à l'horoscope ? Votre maison est en Sagittaire, votre chalet en Scorpion ?

Saviez-vous que l'étoile la plus proche de la Terre, outre le Soleil, est à plus de quatre années-lumière de nous ? Il s'agit d'Alpha du Centaure. Quatre années ! Et la lumière voyage à 300 000 kilomètres par seconde.

Autrement dit, lorsque vous faites un barbecue le soir et que vous dites : « Le ciel est beau ce soir », ce n'est pas « ce soir » du tout. L'étoile la plus proche, vous la voyez telle qu'elle était il y a quatre ans. Ça vous en dit long sur l'horoscope !

Vous devez aussi croire au feng shui. Votre mari n'a plus d'érection, donc vous placez deux petites roches à l'entrée de la chambre et lui mettez une fontaine sur la tête et une chandelle dans le derrière. Pop ! érection ? N'importe quoi, que je vous dis.

◎ ◎ ◎

Je me calme. Ne vous fâchez pas, je m'amuse, je vous taquine. Sauf que vous adoptez très facilement de nouveaux points de vue sans les avoir mis à l'épreuve. Sans avoir vérifié s'ils sont utiles pour vous. Pour **vous** !

Autre preuve : toute l'explication que je viens de vous donner comme étant la vraie cause des marées, eh bien ! elle est **complètement fausse.** Il n'y a pas de liens connus entre les plaques tectoniques, Nicolas Tesla et les marées.

« Tu sais, Pierre, je ne te croyais pas. » Pffffff. Allez. Avouez que vous aviez au moins un doute : « Wow, les marées sont causées par le mouvement des plaques et non par la lune ! »

Et je n'ai eu besoin que d'une minute et d'une demi-page de texte. Imaginez ce qu'on peut vous faire avaler en trente ans.

C'est le temps de retourner dans la boîte

Le principe *think outside the box* est peut-être intéressant, mais on ne peut vivre que *inside the box.*

Pour goûter quelque expérience que ce soit sur terre, il faut **établir des limites.**

Regardez la pièce autour de vous. S'il n'y avait pas de murs, vous occuperiez le même espace, mais vivriez-vous la même expérience ?

Ce qui veut dire que votre vie, vos expériences et surtout vos expériences sensorielles se définissent par les limites que vous placez autour de vous.

Pas de limites, pas d'expériences. Pas d'intérêt pour Dieu non plus.

Vous avez toujours raison, nous avons déjà débattu là-dessus dans d'autres ouvrages. Sauf que vous devez maintenant appliquer ce que mentionne la Bible : « On reconnaîtra l'arbre à ses fruits. »

Avez-vous des fruits ? Avez-vous beaucoup de fruits dans chaque facette de votre vie ? Si oui, parfait. Si non, changez de pièce. Créez une autre boîte, sautez dedans et faites de nouvelles expériences.

N'attendez pas. Faites-le aujourd'hui. **Faites-le maintenant.**

Vous avez déjà utilisé votre goût ou votre odorat pour vérifier si un aliment est encore bon ? Évidemment ! Combien de temps vous faut-il pour sentir que le lait est caillé ? Alors.

Pourquoi prenez-vous toutes ces années avant de vous rendre compte que vos pistes sont aussi arriérées ?

Pourquoi tolérez-vous que ce que vous apprenez ne donne pas de résultats **immédiatement** ?

Pourquoi endurez-vous ne serait-ce qu'une journée que vos gourous ou guides ne soient pas capables eux-mêmes de faire ce qu'ils vous enseignent ?

Cessez de vous faire remplir comme des valises et goûtez les fruits. Pas de fruits ? Allez-vous-en. Trouvez une autre boîte. Aujourd'hui !

Fin des cinq principes du capitaine.

Les 2 grandes tactiques ou manières de jouer

> Fier des connaissances acquises, le Fils entraîna ses coéquipiers dans l'art de mieux jouer : d'un côté, l'option défensive, et de l'autre, l'option offensive.
>
> Détruisant sur son passage toute trace de doute et de tristesse, le Fils réussit à convaincre ses frères et sœurs qu'ils sont de véritables dieux incarnés, non pas des victimes ni des condamnés. Le Fils avait réduit les obstacles du Père en poussière.

Maintenant que nous avons étudié les principes de base pour vaincre Dieu à son propre jeu, vous devez comprendre les deux grandes tactiques possibles sur le terrain, puis développer vos aptitudes à les utiliser toutes les deux.

Vous devez toujours adopter l'une ou l'autre des deux tactiques, puis procéder à la quête d'indices.

La trappe ou l'attaque ?

À l'image du football américain, une équipe sur le terrain est soit en mode attaque, soit en mode défense.

Dans notre cas, vous avez le choix entre :

1. changer de réalité – le mode défensif de la trappe

ou

2. cocréer dans la réalité actuelle – le mode offensif de l'attaque à cinq, ou *powerplay* (appelé aussi « jeu de puissance », quel bonheur ! Oups : quelle bonne heure…).

Le choix entre l'option 1 et l'option 2 est souvent une question de tempérament et de degré de soif de combat. J'y reviendrai.

D'abord, une explication du principe des réalités. Lorsque vous souhaitez changer quelque chose dans votre vie, que ce soit obtenir quelque chose de nouveau ou changer quelque chose que vous ne voulez plus, vous devez modifier **votre réalité.**

Par « changer quelque chose », j'entends que vous ressentez un désir dans l'une ou l'autre des **5 catégories** de l'étoile des rêves (voir *Demandez et vous recevrez*) :

1. argent, objets et loisirs ;

2. développement personnel ;

3. personnes et vie ;

4. projets ;

5. demandes spirituelles (la demande spirituelle est à caractère un peu plus passif mais, par expérience, beaucoup plus difficile à décrire et à faire accepter).

Effectuer un changement de réalité, j'appelle ça faire un **changement de fréquence.** Lorsque vous placez de l'eau au congélateur pour en faire de la glace, vous changez la réalité de l'eau en abaissant sa fréquence vibratoire. Même chose pour vos demandes.

Le principe est le suivant (je vous préviens, vous aurez besoin de faire tout un acte de foi pour oser passer à l'expérimentation – ou vous inscrire au baccalauréat en génie physique ou en physique quantique) :

Notre univers est composé d'une infinité de dimensions parallèles. Les mathématiciens et les physiciens ont depuis longtemps démontré l'existence de ces dimensions multiples et utilisé ces principes dans les mathématiques avancées.

Nous aussi, nous existons **simultanément** dans un nombre incalculable d'univers. À notre niveau de conscience habituel, nous n'avons justement conscience que de notre réalité actuelle. Ça ne veut pas dire que nous n'existons pas dans d'autres réalités ou espace-temps.

Autrement dit, **vous vivez actuellement tous les scénarios en parallèle.** (Vraiment dommage ici que le cannabis ou les champignons magiques ne soient pas légaux. Ils vous aideraient à avaler ça.)

À tout moment, vous goûtez à une réalité en fonction des pensées qui occupent votre esprit. Vous vivez par vos sens externes une copie conforme du film que vous tournez dans votre esprit.

Votre acte de foi est d'accepter au moins la possibilité que vous puissiez vivre dans plusieurs réalités en même temps. Un peu comme vous, dans la réalité actuelle, êtes à la fois votre main gauche, votre bras droit, votre estomac et votre cœur. Vous existez simultanément à travers chacun de ces organes et chacune de ces parties de votre corps qui ont, tous et toutes, vous en conviendrez, des vies différentes.

Dans la première tactique, lorsque vous voulez exposer une demande ou changer quelque chose dans votre vie, vous entrez en détente profonde puis vous **modifiez le film** que vous tournez dans votre cinéma mental.

Vous avez sûrement déjà vu comment on crée un film. On enregistre sur un support (pellicule, numérique) une série d'images qu'on projette ensuite sur un grand écran en éclairant chaque image d'un faisceau lumineux.

Images + énergie (lumière) + écran.

C'est tout.

Dans votre tête, vous avez des images. Si vous appliquez de l'énergie (attention et émotions) à ces images, elles seront projetées sur l'écran de la vie physique. Même principe qu'au cinéma.

Si vous changez vos images, vous changez de chaîne.

Une autre analogie, pour bien comprendre :

Rappelez-vous les bons vieux appareils radiophoniques. Avec le gros bouton rond, le syntoniseur (oui, oui, vous savez, le *tuner*) qu'on devait tourner pour déplacer le curseur jusqu'à ce qu'on trouve une chaîne, une fréquence diffusant notre chanson préférée. Vous savez de quoi je parle ? (Croyez-le ou non, dans ma voiture, je n'ai encore que le AM et ce type de *tuner*. Riez pas ! C'est une Mercury Meteor 1976 que j'ai reçue de mon grand-père ! Toute une voiture. Avec les bancs complets en avant comme en arrière. Très utile pour faire du *parking*.)

Une colombe et Flouche flouche

Admettons que vous soyez en train d'écouter la radio. Vous ouvrez votre appareil et, à la chaîne 88,9 joue à ce moment la chanson de Céline Dion, *Une colombe*.

Bien que ce soit une de vos chansons préférées (pas un mot ! mon épouse adooore Céline), ce que vous voulez entendre, c'est votre demande spéciale, *Je m'appelle Paulette flouche flouche flouche, prout prout,* de Paolo Noël.

Vous n'avez au fond que **2 choix** :

1. vous téléphonez à la station de radio et exigez du disc-jockey (D.J.) qu'il change immédiatement de CD et fasse jouer votre chanson.

2. vous changez de station en cherchant une nouvelle fréquence où *Flouche flouche prout prout* tourne déjà.

Dans le premier cas, vous choisissez la tactique d'attaque (option 2). Vous demeurez **dans la fréquence actuelle** et posez des gestes pour obtenir ce que vous voulez sans changer de station.

Cette option, que nous avons déjà appelé « cocréer une réalité », est plus évidente mais, selon moi, beaucoup moins efficace.

L'autre option exige que vous **changiez de fréquence** (option 1). Cette option est négligée de tous. Pourtant, si vous avez des ados, vous savez que dès qu'ils n'aiment pas une toune à la radio, ils ont la gâchette rapide pour pousser sur le bouton d'option de balayage (ben oui, ben oui, le *scan*).

D'un côté, l'option de cocréer vous permet de jouer dans une certaine réalité **parce que vous avez envie de participer au changement,** de contrôler le jeu.

De l'autre, l'option de changer de fréquence vous permet de changer de film au grand complet sans effort. Vous ne souhaitez changer que la destination, et non le chemin pour y arriver.

Plusieurs écoles de pensée disent que le vrai bonheur (ouache, quel horrible mot) n'est pas dans la destination mais dans le chemin pour y arriver.

Je ne suis **pas du tout d'accord.** J'ai cinq enfants et, lorsque nous nous déplaçons pour aller visiter les grands-mamans à Québec (nous habitons près de Montréal, à deux heures trente de Québec), la vraie joie, c'est quand nous voyons enfin le pont de Québec.

Le voyage pour y arriver dans ce cas est plutôt du genre infernal. « Papa, quand est-ce qu'on arrive ? », « J'ai envie », « J'ai faim », « Y fait chaud », « J'ai froid », « Change la musique », « Quand est-ce qu'on arrive ? » ASSSSEZ !

De nouveau, les deux tactiques ont leur bon côté.

Vous pouvez choisir d'aller du Québec en Floride en voiture pour découvrir les attraits des différents États ou vous pouvez prendre l'avion pour arriver au plus tôt. La voiture sera l'option offensive, où vous suivez la piste des coïncidences. L'avion sera l'option défensive, où vous voulez changer de fréquence au plus vite et arriver dans la nouvelle réalité.

Deux options. Deux styles.

L'idéal est d'utiliser le changement de fréquence/réalité – l'option par laquelle vous entrez en détente profonde, et modifier vos images mentales pour projeter un nouveau film – lorsque vous avez un changement **majeur** à effectuer dans votre vie et que vous ne souhaitez pas participer proactivement à ce changement.

Par exemple, si vous souhaitez entendre l'hymne national de la Corée du Sud à votre station habituelle, 88,9, vous aurez beaucoup de mal à convaincre le D.J. de matérialiser votre demande. Elle est tout simplement **trop éloignée** de votre réalité actuelle. Dans ce cas, vous devriez changer de fréquence (et même de récepteur radio).

Si, par contre, la nouvelle réalité voulue n'est pas si éloignée de l'actuelle, il peut être plus amusant de suivre la piste des signes et des coïncidences pour modifier le tout.

Pourquoi ne pas toujours utiliser l'option du changement de fréquence en utilisant la méthode de détente ? Parce que ce ne serait pas plaisant du tout de toujours vivre dans son monde mental sans jamais vraiment plonger dans l'action.

En résumé, chaque fois que vous désirez manifester une demande (ce que nous appelons, dans ce livre, une chasse au trésor), vous devez opter pour la méthode passive (option 1 – changement de réalité) ou la méthode active (option 2 – cocréation d'une réalité). Vous optez pour un changement de fréquence ou un combat à la fréquence actuelle.

Les deux choix sont valables. C'est une question de style et de goût du moment.

Vous pouvez même passer de l'une à l'autre au cours d'une même chasse au trésor. C'est une question d'entraînement. Vous trouvez qu'on est loin du Père et du Fils ici ? Pas du tout. Voilà deux stratégies pour jouer le jeu du Fils dans le film du Père. Comme deux façons pour un acteur de livrer son texte dans un scénario.

Spider Pig et le choix de la tactique

Dans un cas comme dans l'autre (option défense ou option attaque), vous devez d'abord réaliser une chose fondamentale : **le monde extérieur fait déjà partie du passé.** Je le répète : le monde que vous percevez à travers vos sens n'est pas le présent.

Pensez-y un instant. Lorsque vous entendez quelqu'un vous parler, il y a un délai entre le moment où cette personne conçoit ce qu'elle veut vous dire et le temps pris par le son (331 mètres par seconde dans l'air) pour se rendre à vos oreilles. (Donc, en connaissant la vitesse du son, soit environ un kilomètre par trois secondes, vous pouvez calculer la distance à laquelle tombe la foudre en comptant le nombre de secondes entre le moment où vous voyez l'éclair et le moment où vous entendez le tonnerre. Pour chaque trois secondes entre l'image et le bruit, il y a un kilomètre de distance entre vous et le point de chute. Cool, la physique. Vraiment cool…)

Lorsque vous regardez quelque chose, il existe aussi un décalage, soit le temps qu'il faut à la lumière pour partir de l'objet et se rendre à vos yeux (à 300 000 km par seconde). Petit délai, mais délai tout de même.

Donc, **vos sens ne vous montrent que le passé.** Le seul vrai **moment présent** est celui que vous expérimentez dans votre esprit. Celui que vous goûtez lorsque vous concevez votre film intérieur.

Là-dessus, une petite phrase poétique de mon cru pour conjuguer tout ça :

Pour aller d'un passé imparfait à un futur plus-que-parfait,
il est impératif que votre présent soit inconditionnel.
Mais ça, c'est pas+si+simple.

Maintenant que la question du moment présent est réglée, discutons de votre approche pour régler une situation déplaisante.

Admettons que vous soyez dans une salle de cinéma, en train de regarder un film (*Les Simpson,* par exemple – *« Spider Pig, Spider Pig, c'est un cochon bien singulier »*). Si vous n'aimez pas le film, il serait ridicule pour vous de vous lever en pleine salle de cinéma pour aller engueuler l'écran en disant : « Espèce de maudit film ridicule. Je te déteste. Tu ne mérites pas de te faire appeler film. On devrait te… » Bon, vous comprenez le principe.

Ridicule, parce que vous savez que ce qui est projeté à l'écran découle en fait d'enregistrements audio et vidéo passés. Si vous voulez voir un autre film, vous devez sortir de la salle et enregistrer de nouvelles images. Lorsque le Fils ne veut plus jouer un rôle, il doit sortir de son scénario et retourner à la table à dessin pour concocter une nouvelle histoire. Une fois le nouveau scénario bâti, le Fils reprend son rôle d'acteur et le Père... ressort son *popcorn* et se rassoit dans la salle.

Même chose dans votre vie

Si vous n'aimez pas une situation, comme le fait que votre mari n'a pas, après dix ans de vie de couple, appris à baisser le siège de toilette après usage, ça ne sert à rien d'avoir de discussion là-dessus. **C'est le passé.** Ce serait tout aussi ridicule que de crier après un écran de cinéma.

Passez en mode intérieur et reprogrammez le film. Vous pouvez bien sûr choisir de continuer à vous disputer là-dessus dans le monde physique (le passé) sans jamais que ça ne change, ou vous pouvez entrer dans le monde intérieur, refaire le film où le siège est toujours relevé ou baissé selon vos préférences puis le projeter *intérieurement* jusqu'à ce que l'ancienne pellicule du film ait été remplacée par la nouvelle. Même processus que lorsque vous enregistrez de nouveaux fichiers sur un CD-RW (CD réinscriptible).

« On va finir dans la rue » : un film dangereux !

Juste avant de vous proposer un entraînement pour chacune des deux grandes tactiques (changement de fréquence et combat de cocréation), j'aimerais vous faire une mise en garde très importante.

Tous les films que vous tournez dans votre esprit seront projetés sur l'écran de la réalité. Tous !

Job a dit : « Ce que je crains, c'est ce qui m'arrive. »

Avez-vous déjà calculé le pourcentage des heures de votre vie que vous passez à vous tourner des scénarios catastrophe dans votre esprit, scénarios qui ne sont pas du tout en place, mais qui, si vous insistez, se produiront probablement ?

Si vous faites de la moto ou du ski alpin, vous savez ce que je veux dire. Si vous regardez tout juste devant vous et que vous prend la peur de tomber : bang !

Dans votre cinéma mental, vous projetez tellement de catastrophes intérieures qui ne se produiront **jamais** dans le monde physique (à moins que vous n'insistiez) que je me demande vraiment ce qui vous plaît tant à vivre dans votre tête. Vous devez vraiment en avoir tout un, un cinéma maison dans votre esprit (et à vous voir aller, c'est un cinéma maison-de-fou).

Je ne compte plus les fois où vous avez fini dans la rue dans vos scénarios intérieurs. « Vite, maudit trafic de tab… j'vas arriver en retard à la maison, les ados vont devoir se faire à manger tout seuls, ils vont se faire cuire des frites, ils vont laisser l'huile sur le feu, la cuisinière va passer au feu, la maison va brûler, les voisins vont nous poursuivre, on va finir dans la rue. Viiiiiite ! Honk ! Honk ! »

Vous faites ça au moins 50 fois par jour, non ? Assez. Jetez ce vieux DVD qui a pour thème de finir vos jours dans la rue. D'ailleurs, on ne finit pas dans la rue mais sous la rue (oui, oui, six pieds sous terre…).

C'est une question d'entraînement. Le contrôle des films que nous tournons dans notre cinéma mental est un des outils les plus importants dans notre rôle de Fils, en quête du paradis (une demande manifestée).

Voulez-vous voir Milou ?

Entraînement pour option 1 – changer de fréquence

Voici l'exercice de la télécommande universelle qui sert à changer de réalité.

Comment changer de chaîne/réalité ? En plaçant spécifiquement votre nouveau film au niveau du **troisième œil.**

Dans les cultures à caractère spirituel, le troisième œil, le point entre vos sourcils, s'appelle le siège de la conscience. Le **siège** de la conscience. *The seat of consciousness.* C'est la télécommande.

Voici l'exercice.

Asseyez-vous confortablement à l'endroit de votre choix. Maintenant, imaginez que lorsque vous sortirez à l'extérieur de la pièce où vous vous trouvez, il y aura un chien. Un chien croisera votre chemin à votre sortie à l'extérieur.

Imaginez bien la scène, le décor et le chien.

Maintenez cette image entre vos sourcils, et chargez-la. Chargez-la par votre respiration et votre joie à l'idée de voir ce chien dans quelques minutes. Il est là. Il agite la queue. Il a hâte de jouer à courir après le nonosse.

Comme nous l'avons vu plus tôt, **toutes les réalités existent simultanément,** incluant celle où vous croiserez un chien dans quelques minutes.

En utilisant votre télécommande de troisième œil, vous ne faites que changez la fréquence de votre réalité. Vous syntonisez **la nouvelle fréquence.**

Oui, je sais que c'est difficile à croire. Ouiiii, je sais que la physique moderne n'a pas encore offert toutes les preuves de ce phénomène. Là-dessus, je vous recommande fortement le film documentaire *What The BLEEP Do We Know!?,* dans lequel des physiciens mondialement réputés décrivent le phénomène des univers parallèles relativement au principe d'incertitude de Werner Heisenberg. « Beeuuuurrk ! Je préfère aller voir le nouveau *Batman.* » Stop ! Louez le film ! Vous beuglerez après.

C'est toujours pareil, avec vous. (OK, vous faites quand même partie des plus audacieux, vu que vous avez osé vous rendre jusqu'ici dans ce livre. Personnellement, il y a 20 ans, je l'aurais jeté au bout de mes bras après les 10 premières pages. Alors consolez-vous : vous n'êtes pas si mal, après tout.)

Autre remarque.

Lorsque vous changez de station de radio sur votre appareil, pendant que vous tournez le bouton, il y a du bruit, non ? De la statique, du grishhhhh ?

Encore une fois, lorsque vous changez d'une réalité à une autre en utilisant votre télécommande mentale, il est possible qu'il y ait du bruit. Il est possible, voire incontournable, que vous vous sentiez un peu entre deux fréquences pour un temps. Coincé entre l'arbre et l'écorce.

Apprenez à tolérer cette double réalité le temps du changement. La réalité initiale, celle qui est perçue par vos sens extérieurs, fera progressivement place à la nouvelle réalité, celle qui au début n'est perçue que par vos sens intérieurs. Un peu comme la musique de la première station s'atténue pendant que celle de la seconde s'amplifie.

Avec de l'entraînement, vous finirez par remplacer une réalité par une autre de plus en plus rapidement. Vous finirez par avoir un appareil numérique !

Pour clore la pratique sur la première tactique, je vous invite à faire les exercices suivants :

1. Visualisez un stationnement libre à la destination de votre choix, **avant** de partir de chez vous. Ah ? Vous faites déjà ça ? C'est trop facile ? Une minute, je parle d'un stationnement où le parcomètre est déjà payé. Ça, ça commence à être pas pire. Seulement le stationnement libre, c'est pour les enfants. « Oui mais, Pierre, avec les nouveaux parcomètres montréalais, on doit prendre un billet. Le parcomètre ne peut donc pas être payé d'avance. » C'est ça, encore des excuses. Vous n'avez qu'à tomber par hasard sur la personne qui était là avant vous pour qu'elle vous remette son billet. Vos excuses et vos oui+mais, vous savez ce que j'en pense. Il y a des limites à être sous la jupe de maman !

2. Visualisez que, lorsque vous rentrerez chez vous, après le travail, votre plus jeune vous sautera au cou.

3. Essayez de deviner le menu de votre souper (évidemment, ce n'est pas un exercice si vous préparez vous-même le souper !).

Savez-vous faire des cubes de glace ?

Une des questions les plus fréquentes que j'entends lorsque j'entraîne des élèves au principe du changement de fréquence, c'est : « Pendant combien de temps faut-il maintenir la nouvelle réalité dans son troisième œil avant de cesser l'exercice ? »

La réponse : tant et aussi longtemps que vous n'avez **pas totalement cristallisé en vous** – vous et vos sens intérieurs – la nouvelle réalité.

Pour mieux illustrer cette explication, je vous invite à faire des cubes de glace. Oui, oui, maintenant. Allez cherchez votre moule à glaçons, je vous attends.

Bon. Pour faire des glaçons, vous prenez d'abord le moule que vous tenez dans vos mains. Le moule, c'est votre demande. C'est la forme que vous voulez imprégner d'énergie afin qu'elle se matérialise.

Ensuite, vous avez besoin d'eau. D'eau liquide que vous versez dans le moule. L'eau liquide, c'est justement votre conscience, votre énergie vitale que vous déversez dans le moule dans le but de figer dans votre esprit le nouveau film voulu.

Finalement, pour avoir de la glace ou de l'eau cristallisée, il vous faut maintenir le moule rempli d'eau dans le congélateur pour **ralentir la fréquence de l'eau.**

Vous ralentissez, vous cristallisez votre film mental en le maintenant figé dans votre esprit.

Qu'est-ce qui arrive si vous ouvrez continuellement la porte du congélateur pour voir si la glace est prête ? **Exactement.** Pas de glace.

Ne faites pas ça avec vos demandes, avec vos films intérieurs. Maintenez-les dans votre esprit, **sans jamais questionner si ça fonctionne ou non.** Maintenez-les dans votre conscience, c'est tout.

« Tout ce que vous demandez en prières, croyez que vous l'avez reçu et vous le verrez s'accomplir. » Vous l'avez reçu dans votre esprit. Vous le verrez s'accomplir dans la matière.

Voici justement l'analogie à faire pour toutes vos demandes. Le Père est l'observateur, l'essence même de ce que nous pouvons manifester. Dans ce cas-ci, de l'eau liquide. Le Fils doit, de son côté, fabriquer un moule. Dès que le Père prend forme, il se « glace » (glace, comme dans « crème glacée », tssst tssst, pas tout de suite.) **La demande est alors manifestée.**

Plus le moule est intéressant et plus le Père s'y précipite pour mieux se goûter lui-même à travers les aventures du Fils.

Conseil de Pierre

Plus, en tant que Fils, vous créez des moules ou des demandes in-téressantes, plus le Père est enclin à y prendre forme pour goûter cette expérience.

Agir sur un signe par jour keeps the doctor away

Entraînement pour option 2 – cocréer une réalité

Passons maintenant à l'entraînement pour la seconde tactique : la co-création de réalité.

Dans cette option à caractère offensif, vous devez commencer votre journée par une demande précise et claire. Ensuite, vous suivez la piste des coïncidences pour trouver les gestes à poser.

Dans la première tactique – changement de fréquence –, l'approche est plus passive. Les gestes à poser viennent à nous.

Dans cette seconde tactique, vous provoquez les événements en suivant activement la piste des signes.

Pour bien faire l'exercice et obtenir des résultats percutants (pour ne pas dire épeurants), il faut **3 ingrédients** :

1. une demande claire, précise et irrévocable ;

2. un horaire libre de toute contrainte (pour pouvoir suivre **immédiatement** les pistes suggérées) ;

3. des couilles ou des ovaires de béton, pour être prêt à poser les gestes suggérés sans savoir à l'avance comment faire ni quoi faire.

Là-dessus, d'ailleurs, j'ai de très nombreux cas de clients qui ont raté d'extraordinaires occasions en hésitant à agir sur des signes on ne peut plus frappants et à manifestation répétée.

Par exemple, tout récemment, une cliente, pour s'assurer une sécurité financière à court terme, n'a pas agi après avoir reçu des signes très clairs qu'elle devait s'impliquer dans la direction d'un projet touristique. Ces signes allaient d'une photo trouvée par hasard sur le sol à l'image du partenaire en question (et ce, avant d'avoir entendu parler du projet), en passant par des événements familiaux troublants et un gain répété à des jeux de hasard en réponse positive à la question « Dois-je me lancer dans ce projet ? »

Apprenez des mésaventures d'autrui. **C'est l'hésitation qui tue.**

Donc, à votre tour. Libérez une journée ou deux. (Mais oui. Ne me dites pas que vous travaillez ou que vous n'avez pas le temps de faire ça. Voyons ! Vous passez des heures dans le trafic, vous bûchez pour chaque petit résultat, mais vous ne seriez pas prêt à prendre deux petites journées de votre vie trop dure pour tester une approche qui porterait tous les fruits voulus ? Vous n'avez pas d'allure.)

Allez, commencez dès demain matin par cette expérience. N'attendez pas. **C'est l'hésitation qui tue.**

Prononcez dès demain la demande, devant votre miroir de salle de bain. « Le verbe s'est fait chair », vous vous rappelez ? Si vous ne le faites pas, tant pis pour vous.

Pour vous, ce merveilleux clin d'œil biblique passera du « verbe qui s'est fait chair » au « verbe qui se fait cher ». *So be it. Inch'Allah.* Allez.

Les exercices et la période d'entraînement

> **S'entraînant nuit et jour, l'armée du Fils devenait de plus en plus forte. Cachant bien leur jeu, les joueurs savaient maintenant comment se servir d'armes puissantes pour manifester chaque désir. Plus que quelques kilomètres à faire pour découvrir le trésor et trouver le paradis sur terre sans s'attirer la colère de Dieu.**
>
> **Le Fils avait maintenant montré à tous comment divertir le Père sans mordre la poussière.**

Nous avons les prémisses (les conditions de base du succès à ce jeu) et nous avons les deux grandes tactiques, incluant des entraînements pour chacune d'elles.

Maintenant, il faut vous entraîner au maniement d'armes. Voici justement un programme de 11 exercices qui vous permettront de compléter votre formation avant de sauter sur le terrain, de compléter votre signe de croix et de trouver le trésor, ce que nous ferons au chapitre 3.

Exercice n° 1

Get mad, maudite marde, cherchez le trouble !

Un de mes artistes préférés est Billy Joel. Avec ses chansons *Piano Man, She's Always A Woman* et *Tell Her About It,* il m'a souvent inspiré quand je traversais des périodes difficiles.

Une de ses chansons s'intitule *Only The Good Die Young* – qui se traduit en français par « Seuls les gentils meurent jeunes ».

Super-chanson. J'aurais envie de lui ajouter un petit extrait de mon cru : *Only the good die young… and they die of boredom* – « Seuls les gentils meurent jeunes, et ils meurent d'ennui… » Je sais, superbes paroles. Je travaille sur mon premier disque. Le thème principal, vous l'avez deviné : *Yes, on est dans marde.* Quoi, vous ne me croyez pas ! Sachez, Môsieur, Madame, qu'une de mes entreprises a déjà coproduit un album qui a remporté le trophée pour l'album rock de l'année au Gala de l'Adisq du Québec. Oui, je me pète les bretelles. (Grand merci à l'extraordinaire Andrée Watters, une artiste au cœur et au talent grands comme le monde.)

Si vous ne voulez pas mourir jeune, vous devez *Get Down* (là, on est dans le monde de Queen) et devenir un peu rebelle.

J'ai même reçu d'une des membres de mon club d'aventures un gilet portant la mention « J'me cherche du trouble ». Épatant !

J'espère que vous êtes, à la lecture de ce livre, en train de gonfler de colère et d'impatience à mesure que vous comprenez à quel point vous vous êtes bien fait avoir par le Père. Allez, fâchez-vous un peu, bon sang ! Prenez le mur le plus près de vous et faites un bon gros trou dedans.

Choquez-vous, que j'vous dis (moi, j'ai tout plein de marques sur les mains). Vous valez beaucoup plus que ça. **Beaucoup plus.**

Votre premier exercice est de crier : « J'EN AI PLEIN LE DOS DE MA PETITE VIE PLATE ! »

Je sais que c'est cliché, mais c'est le temps de voir plus grand. Vous connaissez, grâce à ce livre, ce qu'il y a en arrière-scène. Les vraies règles du jeu. Donc, bougez !

Parlant de mieux voir, j'étais dehors un week-end et mon épouse, pointant le ciel, me dit : « Regarde chéri, une belle avion. » Je lui dis : « C'est pas **une** avion, c'est **un** avion. » Elle répond, sans la moindre hésitation : « Wow, t'as de bons yeux ! » Que voulez-vous, j'ai épousé mon opposée… question d'apprendre à me fier sur moi. Plus de détails dans *Le cycle de rinçage.*

C'est pas du tout ce que je veux dire quand je parle de voir grand. Je veux dire qu'il faut vous fixer des objectifs qui vous satisferont **vraiment.** Qui feront en sorte que, lorsque vous serez à vos dernières heures, sur votre lit de mort, vous ne vous mettrez pas à pleurnicher sur vos petits malheurs en murmurant « J'aurais donc dû ».

Debout, fermez le poing et frappez sur la table, le bureau, un mur, ce que vous voulez, et jurez-vous de ne plus jamais accepter une petite vie, sous aucun prétexte que ce soit.

En criant, répétez après moi :

« Je ne suis plus capable. » À vous maintenant (oui, comme à l'église, répétez après Preacher Morency) : « Je ne suis plus capable. »

« Je n'en peux plus. » Répétez.

« Je suis écoeuré. » Répétez – à haute voix, SVP.

« Oh, *yes* ! » À vous.

« Si ça ne change pas aujourd'hui. » *Your turn.*

« Si je ne trouve pas une réponse à ma question dès ce soir. » Votre tour.

« Je me rase la tête. » Allez, un peu de nerf.

« Je donne tout ce que j'ai. »

« *I Love Jesus.* »

« Et je deviens *squeegee.* »

Bon, enfin ! vous vous fâchez assez pour sortir de votre mode de lamentations.

Je vous le répète : vous savez comment faire, alors décidez de le faire. Décidez une fois pour toutes de convertir votre chemin de croix en chemin de joie.

Fin du premier exercice. Pis si les voisins n'ont pas été dérangés, vous n'avez pas crié assez fort. Non, cette fois, le Preacher Morency ne se calmera pas.

Ⓔx e r c i c e n° 2

Mangez le petit pain

Ça va aussi faire, le petit pain. Nous valons, **vous** valez beaucoup plus que ce que vous croyez. Il n'y a pas un seul être humain qui soit né pour un petit pain.

Comme deuxième exercice, courez vous chercher un petit pain. *Now.* Courez !

Vous n'avez pas de petit pain, *no problem.* Prenez une tranche, arrachez les croûtes, lancez-les par terre et roulez ce qui reste en boule. Une vraie maudite petite boule.

À *go,* tout le monde mange, pour la dernière fois, le stupide et ridicule petit pain !

Un, arrachez, puis garrochez votre croûte (la paix avec le français, on règlera ça plus tard).

Deux, roulez en boule.

Trois, mettez le tout en bouche et avalez-moi ça au plus vite.

Exercice n° 3

Show God a good time – Divertissez Dieu

Maintenant, tant qu'à nettoyer la petite vie, allons-y.

Trouvez-vous une pelle de jardin et un petit lopin de terre (comme le chante si bien le merveilleux groupe Mes Aïeux dans la chanson *Dégénérations* – enfin quelqu'un qui pile un peu sur la simplicité volontaire. Bravo à vous !).

Maintenant, prenez deux bonnes heures et creusez un trou de six pieds de long sur trois pieds de large sur deux pieds de profond.

Faites-le pour vrai, sauf si vous voulez passer le restant de votre vie à vivre en prisonnier, victime de votre intellect. Je vous garantis qu'après cet exercice votre vie aura changé du tout au tout.

NE LISEZ PAS UNE LIGNE DE PLUS
SANS AVOIR CREUSÉ VOTRE TROU.

Pour les trois lecteurs qui ont **vraiment** fait l'exercice, je continue. Fatigant, n'est-ce pas, de creuser sans savoir pourquoi ?

Deux heures de sueurs et d'efforts. Excellent. Je suis fier de vous.

Maintenant, prenez deux autres heures et remplissez le trou, avec la terre que vous avez sortie.

C'est exact : ressortez dehors et remplissez le trou que vous venez de creuser.

Vous vous attendiez à plus ? Une grande révélation du genre Spiritus Esotericus Dominus Sanctus du Mozusse de Moïse ? Oubliez ça.

Ce que vous venez de faire, c'est exactement ce que vous faites avec la plupart des heures de votre vie : vous vous causez un problème, puis vous le résolvez, question d'occuper votre temps.

Nous faisons tous cela. C'est la seule chose que nous puissions faire en tant que Père incarné en Fils. Sauf que...

Tant qu'à faire des trous pour les remplir après, aussi bien faire de super-trous dans des endroits super. Aussi bien prendre des vrais risques !

Tant qu'à choisir un film, prenez-en un de calibre. Pas quelque chose de trop facile. Aucun intérêt à battre un enfant de quatre ans au ping-pong.

Rendez-vous intéressant pour que Dieu s'intéresse à votre film et vienne jouer avec vous. (Je vous recommande les magnifiques textes des aventures du seigneur Krishna dans les Védas, qu'on appelle les lilas de Krishna). Vous constaterez comment Dieu se divertit avec nous en jouant des scénarios tous plus fous les uns que les autres.

Pour finir cet exercice, donnez-vous jusqu'à demain, 17 h, pour prendre un risque. Un **vrai** risque.

Pourquoi ? Parce que vous, en tant que Père, êtes assis dans la salle de cinéma et vous vous regardez, et vous, en tant que Fils, jouez le rôle clé du film d'action.

Allez, **faites-vous payer pour manger le beurre.** C'est comme ça qu'on peut avoir le beurre et l'argent du beurre. (Au sujet des aventures ou lilas de Krishna, cette célèbre incarnation divine vénérée par de nombreux hindous, plusieurs racontent comment le peuple se rassemblait pour jouir de le voir manger le beurre.)

Autrement dit, c'est lorsqu'Il joue avec intensité le jeu que Dieu paye l'acteur pour voir le film. Si le film est ennuyant, la salle se vide.

Et vous, êtes-vous ennuyant à regarder ? Votre film est-il divertissant ? Ne perdez pas votre auditoire : posez un geste fou d'ici demain, 17 h.

Exercice n° 4

Sois belle et PARLE

Cet exercice s'adresse tout particulièrement à vous, madame (ou encore à votre jointe, monsieur). Vous connaissez la maxime *Sois belle et tais-toi* ? Au troisième millénaire, les femmes doivent apprendre à jouer, à se permettre de créer et d'utiliser leurs propres dons. Pas seulement à servir de maman pour leurs enfants… ou leur chum/mari.

Sois belle et parle ! Dans le livre *Le cycle de rinçage,* j'ai mentionné l'importance de prendre le rôle d'enfant pour créer un projet. Si vous vivez à deux, vous devez pour une fois être celle qui se fait appuyer par son joint (conjoint) pendant que vous faites un projet.

La tendance naturelle, c'est de voir la femme qui appuie l'homme dans un projet en s'occupant de la maison et des tâches quotidiennes. Mais dans un couple fonctionnel et bien équilibré, les rôles **doivent** s'inverser régulièrement.

Votre exercice est donc de concevoir un projet, une activité, une aventure par laquelle vous serez au poste de pilotage pendant que votre partenaire sera au poste de soutien.

Dans notre ère moderne, le nombre de familles monoparentales est en forte croissance. Et, dans la plupart des cas, c'est justement la femme qui obtient la responsabilité majeure de s'occuper des enfants.

Pourquoi ? Parce que ceux-ci demeurent avec leur mère jusqu'à ce que ce soit **elle** qui devienne enfant. Souvent, le père l'est déjà.

Marie-Madeleine, la supposée prostituée du Nouveau Testament, a déjà joué le rôle de la femme qui sacrifie tout pour son homme. Même son nom porte les initiales de Mama (**Ma**rie-**Ma**deleine).

C'est à votre tour de jouer.

Votre premier défi est donc de vous permettre de faire un projet, quitte à prendre de l'argent dans les économies familiales pour le réaliser. Oui, pour une fois, permettez-vous de vous passer **devant** les intérêts de votre époux/copain, et **devant** ceux de vos enfants.

Deuxième défi : nommez un de vos enfants par **votre** prénom.

Ouf, tout un défi, celui-là. Si nous voulons goûter au paradis terrestre, il faut que les deux natures divines se cristallisent : la fréquence homme et la fréquence femme. Shiva **et** Kâlî. Râma **et** Sitâ. Krishna **et** Râdhâ. Jésus **et** Marie-Madeleine.

Le nom d'une personne transporte beaucoup de vibrations et d'énergie. La langue sanskrit, la langue par excellence pour l'utilisation des sons, enseigne l'importance du nom qu'on attribue à quelque chose ou à quelqu'un.

Pour augmenter la portée de la Mère et de la Femme, il faut aussi augmenter la portée de son nom, entre autres, en attribuant ce nom à un des enfants. Si vous doutez de la puissance d'un nom, pensez à la force de la lignée des Elizabeth dans l'histoire de l'Angleterre.

Donc, la lignée du prénom de la mère est tout aussi importante que celle du prénom du père. Voilà pourquoi notre dernier enfant porte le prénom de Jesse. Sa mère s'appelle Jessy.

Et maintenant, le troisième défi de cet exercice pour femme avertie.

Répétez ceci : « Je suis à 100 % responsable de tout ce qui m'arrive dans cette vie. Tout dépend de ma réaction aux événements qui m'arrivent. Je reprends ma force et mon pouvoir. Tout est bien. Tout est bon. Tout est amour. Je me permets d'être mère, femme et fille, les trois à la fois. »

Exercice n° 5

Le club vidéo

Voici un exercice crucial.

Pour commencer, voici ce que vous devez faire : rendez-vous à votre club vidéo. (Faites-le, SVP. Je vous répète que la lecture seule ne vous apportera pas grand-chose. Il faut **vivre** ce qu'on veut comprendre.)

Vous devez y passer un **minimum** de quarante-cinq minutes avant de choisir un film à louer. Vous n'avez pas le droit de quitter le club avant d'y avoir passé au moins quarante-cinq minutes. Vous vous promenez dans les allées et regardez les films, mais vous ne faites pas de choix avant quarante-cinq minutes.

Une fois l'exercice fait, poursuivez votre lecture. Bien.

Et puis ? Vous n'avez rien loué, n'est-ce pas ? Vous ne pensiez qu'à quitter au plus vite cet endroit devenu infernal pour vous **faute d'avoir pu prendre une décision rapide.**

Voilà exactement le but de l'exercice.

Lorsque vous avez une décision à prendre, vous tergiversez, vous analysez, vous réfléchissez, vous pesez le pour et le contre, bref, vous vous pognez le beigne si longtemps que la simple idée de passer à l'action finit par vous donner des boutons.

Apprenez **à vous brancher.** La grande majorité des personnes passent des années avant de choisir. Elles ont la télécommandite aiguë ! Elles ratent la moitié de leurs émissions de télévision en zappant pendant quinze minutes pour trouver la soi-disant « meilleure émission ».

Donnez-vous un délai maximal pour faire le choix de ce que vous voulez. Sinon, vous ne demanderez rien. Vous serez tout simplement trop blasé pour le faire.

Imaginez que vous soyez sur le quai du métro. La rame arrive, les portent s'ouvrent, et vous hésitez avant de faire le pas en avant qui vous ferait monter à bord. Vous connaissez le geste à poser, mais vous réfléchissez. Vous hésitez. Vous n'êtes pas certain que ce soit la bonne décision.

Le train quitte la station, et vous finissez par vous dire que le geste (faire un pas en avant) est le bon. Sauf que vous le faites une fois le train parti. Paf !

Ce qui était une bonne décision quelques minutes auparavant en devient une très mauvaise quelques instants plus tard.

La même décision peut être excellente au temps A et la pire catastrophe au temps B.

Retournez au club vidéo et ne vous donnez cette fois qu'une minute pour louer votre film de la soirée. Apprenez à décider. Tout de suite. Rapidement. C'est le doute et l'hésitation qui tuent.

Exercice nᵒ 6

Cessez de lire : utilisez les livres pour obtenir des signes

À l'ère des communications, nous sommes devenus pour la plupart esclaves de nos gadgets électroniques. Nous sommes aussi devenus extrêmement cérébraux.

Même la lecture peut représenter un piège pour le mental, particulièrement les livres de développement personnel.

Je sais, j'écris moi-même ce genre de livres. (Oui, oui, dites-le : « Tu parles d'un capoté. ») Sauf que je n'écris pas les livres pour me lire, j'écris pour le plaisir de jouer à écrire. J'écris pour me divertir et pour nettoyer mon mental des expériences et des recherches que j'ai faites.

Si vous tenez vraiment à utiliser les livres, voici un exercice particulièrement stimulant relié à la première de nos deux tactiques, l'option active : suivre la piste des signes.

Voici l'exercice. Écrivez une question sur une feuille et libérez votre horaire pendant quelques heures pour suivre la piste des coïncidences (ici encore, il faut passer à l'action).

Ensuite, prenez un livre de votre choix.

Puis, avec votre question bien en tête, ouvrez le livre à une page au hasard et lisez le premier paragraphe au haut de la page de gauche. Ce paragraphe vous suggérera une action à prendre.

Allez, allez, faites-le.

Une fois que c'est fait, réécrivez une nouvelle question, reprenez le livre (ou un nouveau) puis continuer *ad libitum*.

Je donnais récemment une formation au Mexique, et une des participantes me demandait si elle devait dévoiler un certain investissement à son joint qui n'était pas au courant. Craignant sa réaction, elle était troublée par la situation.

J'enseignais justement à ce moment l'utilisation de livres pour obtenir des pistes à suivre. Sous la main, j'avais un texte sur les enseignements de Bouddha. (J'étudie les écrits de plusieurs cultures. Ces écrits ont tous de merveilleuses perles à nous faire découvrir.)

Ouvert à une page aléatoire, le livre mentionnait : « Le mensonge ne peut qu'apporter souffrance. Faites confiance à l'être aimé. »

Sous le choc, la cliente a eu le courage d'en parler à son partenaire et d'éliminer ainsi le doute qui la rongeait. Je crois même qu'aux dernières nouvelles, celui-ci s'intéresse de plus en plus… aux enseignements des maîtres de l'Inde !

Exercice n° 7

À quoi consacreriez-vous votre vie aujourd'hui ?

Une question : échangeriez-vous votre vie contre votre travail ? « Bien sûr que non », me dites-vous. Mais c'est exactement ce que vous faites !

Si vous comptez le nombre d'heures que vous passez à effectuer votre travail, à gérer votre travail, à discuter de votre travail et même à rêver à votre travail (sous forme de rêve ou de cauchemar), vous échangez littéralement votre vie contre votre *job.*

Je cherche actuellement à vous défier sur le plan professionnel. Je vous ai expliqué les deux tactiques ; elles peuvent vous permettre enfin de prendre le contrôle de vos revenus et de votre carrière.

Je ne parle pas ici d'une réflexion du genre « Quel sera mon rôle de vie pour les soixante prochaines années ? » (Je ne peux m'empêcher ici de prendre en pitié ces jeunes étudiants de collège à qui on demande de choisir à seize, dix-sept ou dix-huit ans une carrière pour la vie ! Ouch. Trop lourd. Beaucoup trop lourd.) Je parle d'un choix pour les trois à dix-huit prochains mois. Je parle d'utiliser soit l'option de la piste des signes (tactique n° 1) ou la piste du changement de réalité (tactique n° 2) pour modifier quelque chose dans votre travail.

Trouvez au moins un point que vous voulez changer concernant votre travail. Choisissez la tactique offensive ou la tactique défensive. Puis foncez.

Tant qu'à échanger sa vie pour son travail, aussi bien faire une priorité de rendre cet aspect le plus plaisant possible.

En réponse à la question posée au début de cet exercice (échangeriez-vous votre vie contre votre travail?), vous auriez dû répondre **oui.** Si ce n'est pas le cas, vous êtes au mauvais endroit. **Changez.**

∎xercice n° 8

Le banquier, la monnaie d'échange et la loi ultime de l'action-réaction

Que vous aimiez ça ou non, nous devons parler d'argent. Pourquoi êtes-vous à ce point mal à l'aise avec l'argent? Pourquoi tenez-vous tant que ça à défendre le point ridicule que l'argent ne fait pas le bonheur?

C'est évident que l'argent ne fait pas le bonheur. La pauvreté non plus par contre.

Vous avez déjà vécu dans un bidonville, question de voir si on y trouve le bonheur? Moi, si.

Et je n'ai pas trouvé le bonheur dans ce village de maisons fabriquées à partir de sac de poubelles. J'ai trouvé une malpropreté extrême, des enfants qui se battent pour un morceau de pain et des gens qui pleurent sans arrêt.

« Pierre, les écrits disent qu'il est plus difficile à un riche d'entrer au royaume de Dieu qu'à un chameau de passer par le trou d'une aiguille. »

Qu'est-ce qu'un riche ? C'est quelqu'un qui a tout ce qu'il veut **et qui n'a plus de désir.** Quelqu'un qui ne désire plus poursuivre la chasse au trésor. Quelqu'un qui est rassasié.

Dans notre chasse au trésor, le chameau, il passe dans le chas de l'aiguille. Et s'il ne passe pas, on lui botte les fesses jusqu'à ce qu'il passe !

Bon. Parlons d'argent. Pas de *problèmes* d'argent. D'argent, point à la ligne !

Pour financer votre chasse au trésor, il vous faut une monnaie d'échange. Il vous faut quelque chose à donner en retour de ce que vous obtenez ou de ce que vous demandez. Pour avoir accès au trésor, il faut payer les frais d'inscription.

Notre univers est merveilleusement bien bâti. La loi de l'action-réaction est sublime.

Lorsque vous avez pris corps, Dieu (donc vous-même) vous a équipé d'un don, d'un talent unique et parfait, d'un don si impeccable que vous n'avez absolument rien à faire pour être extrêmement bon dans ce domaine. C'est naturel.

Ce don (rôle de vie), c'est votre monnaie.

C'est ça, la fameuse justice de Dieu : la capacité d'échanger votre don pour financer l'obtention de vos demandes. L'équilibre.

Lorsque vous sollicitez l'univers pour une demande, l'univers vous sollicite à son tour en demandant l'utilisation de votre don pour équilibrer l'équation – selon la loi de l'action-réaction.

Plus vous avez de demandes, plus vous serez sollicité pour votre don. Vous comprenez ? Vous ne recevrez pas une pluie de dollars du ciel, mais des occasions d'exercer votre don, avec ou sans rémunération, en échange de votre demande.

Attention, l'inverse est aussi vrai (ici, lisez bien et comprenez précisément l'importance de ne jamais être rassasié sur terre).

Si vous cessez vos demandes à l'univers, celui-ci cessera aussi de générer des occasions pour que vous puissiez jouer/utiliser votre don.

Par exemple, dans mon cas, si je ne demande rien à l'univers, moins de gens viennent à mes conférences, moins de gens lisent mes livres (et comme mon éditeur veut que ce livre se vende encore plus que *Demandez et vous recevrez,* je suis aussi bien de me bâtir toute une liste de demandes, de la Porsche à la grosse famille en passant par le pouvoir de marcher sur l'eau).

Si vous cessez vos demandes, vous serez retiré de la partie. Vous deviendrez un retraité du match qui a lieu au paradis.

Rappelez-vous la parabole des talents (Matthieu 25, 14-30).

> Un homme, qui partait en voyage, appela ses serviteurs et leur confia ses biens.
>
> À l'un il donna une somme de cinq talents, à un autre deux talents, au troisième un seul, à chacun selon ses capacités. Puis il partit.
>
> Aussitôt, celui qui avait reçu les cinq talents s'occupa de les faire valoir et en gagna cinq autres. De même celui qui avait reçu deux talents en gagna deux autres. Mais celui qui n'en avait reçu qu'un creusa la terre et enfouit l'argent de son maître.

Longtemps après, leur maître revint et il leur demanda des comptes. Celui qui avait reçu les cinq talents s'avança en apportant cinq autres talents et dit : « Maître, tu m'as confié cinq talents ; voilà que j'en ai gagné cinq autres. »

Son maître lui répondit : « Très bien, serviteur bon et fidèle. Tu as été fidèle pour peu de choses, je t'en confierai beaucoup ; entre dans la joie de ton maître. »

Celui qui avait reçu deux talents s'avança ensuite et dit : « Maître, tu m'as confié deux talents ; voilà, j'en ai gagné deux autres. »

Son maître lui dit : « Très bien, serviteur bon et fidèle. Tu as été fidèle pour peu de choses, je t'en confierai beaucoup ; entre dans la joie de ton maître. »

Celui qui avait reçu un seul talent s'avança ensuite et dit : « Maître, je sais que tu es un homme dur ; tu moissonnes là où tu n'as pas semé, tu ramasses là où tu n'as pas répandu de grain. J'ai eu peur, et je suis allé cacher ton talent dans la terre. Le voici. Tu as ce qui t'appartient. »

Son maître lui répliqua : « Serviteur mauvais et paresseux, tu savais que je moissonne là où je n'ai pas semé, que je ramasse le grain là où je ne l'ai pas répandu. Alors, il fallait placer mon argent à la banque ; et, à mon retour, je l'aurais retrouvé avec les intérêts. Enlevez-lui donc son talent et donnez-le à celui qui en a 10. Car celui qui a, on lui donnera, et il sera dans l'abondance. Mais celui qui n'a rien, on lui enlèvera même ce qu'il a. Quant à ce serviteur bon à rien, jetez-le dehors dans les ténèbres ; là où il y aura des pleurs et des grincements de dents. »

La parabole moderne équivalente se trouve dans la vie de Spiderman. (Vous avez certainement visionné cette superbe trilogie ? Sinon, faites-le.) Un grand pouvoir implique de grandes responsabilités, dit-on. Hosanna au plus haut des cieux !

C'est tout de même incroyable. Le Père a même caché des pièges dans les superhéros de bandes dessinées pour nous faire tomber dans le panneau de la responsabilité sociale.

Ça sonne beaucoup trop je-dois-me-sacrifier-pour-sauver-les-autres, cette histoire. Mettons les pendules à l'heure.

Si Spiderman utilise ses pouvoirs, ce n'est pas par responsabilité sociale. C'est parce qu'il aime ça, se promener au bout d'un fil et donner des baffes aux méchants.

Voici le vrai sens de la parabole, l'explication du Fils que le Père observe dans son cinéma maison :

« Un grand talent amène plus de possibilités de jeu. »

« Un grand talent d'acteur amène un plus grand rôle dans le film. »

Je ne vous parle surtout pas ici de responsabilités sociales (même si Spiderman semble se sacrifier dans le premier film, il se reprend bien dans les suivants en récupérant pour lui la femme de sa vie). On parle de **votre** responsabilité envers le Père de faire de grosses demandes pour faire un bon film d'action.

Plus vous avez un grand talent, un grand don, plus grandes doivent être vos demandes. Plus votre rôle est principal dans votre film, plus votre jeu d'acteur doit être spécial. Je répète : « Un grand talent amène plus de possibilités de jeu. »

Pour revenir à l'argent, il y a même un effet multiplicateur si vous permettez aux autres de financer leur propre chasse au trésor à travers le don de votre don.

Plus vous permettez aux autres de faire beaucoup d'argent à travers vous et votre don, plus le Père vous offrira des raccourcis vers votre trésor !

Vous partez donc d'une demande à formuler et vous la précisez le plus possible. Puis vous surveillez de près au cours des vingt-quatre prochaines heures l'occasion d'exercer le don que vous fera l'univers pour **payer** cette demande. Soit que vous ayez une occasion d'exercer votre don, soit que vous ayez l'occasion de permettre à quelqu'un d'autre d'exercer son don à travers vous. Lorsque vous aurez cette occasion, n'hésitez surtout pas. C'est comme si le banquier de Julie Snyder frappait à votre porte pour financer la demande… et que, pour une fois, il n'était pas *cheap*!

Le plus grand allié à la chasse au trésor, c'est de permettre aux autres de s'enrichir sur votre dos/don/jouet, en vous regardant jouer.

Si vous voulez de l'argent (et vous devriez), taisez-vous et goûtez!

C'est pour ça que Dieu vous paie.

▣xercice n° 9

Le risque pour maîtresse, l'argent pour amant

Nous en sommes au neuvième exercice de votre programme d'entraînement pour devenir un super-chercheur de trésor au paradis terrestre.

Continuons à parler d'argent. (Je sais que ça vous dérange, mais je n'ai pas le choix. En fait, si. Ça me plaît de vous déranger.) Parlons plus précisément de votre confort à l'égard du risque.

Qui ne risque rien n'a rien. Pour une fois que je suis en accord avec un de ces vieux dictons à la… En fait, non. « Qui ne risque rien a tout. » Il a **toutes** les chances du monde de regretter sa vie.

Dans cet exercice, je vous inciterai à prendre un risque, un risque face à une peur que vous avez soit sur le plan financier, soit sur le plan personnel.

Mais avant, lisez ces **3 principes** pour apprendre à **bien risquer** :

1. Premier principe : lorsqu'on veut prendre un risque, **on utilise une approche par paliers.** Une approche par paliers signifie que vous déterminez à l'avance un certain degré de risque que vous êtes prêt à prendre, selon votre expérience ou votre foi.

   Par exemple, un grimpeur voulant escalader une paroi rocheuse placera à différentes hauteurs des points d'ancrage, en cas de chute. Plus il est expérimenté, moins il place de points. À la limite, le meilleur grimpeur pourrait escalader une montagne entière en ne plaçant aucun cran de sûreté.

   Identifiez dès maintenant l'endroit ou le domaine dans lequel vous souhaitez prendre un risque (allez, un peu de couilles !). Puis franchissez trois paliers de risque successifs.

   Par exemple, si vous avez peur des hauteurs, vous pourriez vous rendre à la piscine de votre quartier et commencer par sauter du tremplin de un mètre, puis de celui de trois mètres pour finir à celui de cinq mètres. Trois paliers.

   Si vous échouez un palier, redescendez au palier précédent, faites quelques essais pour augmenter votre degré de confort, puis recommencez.

   Dans le domaine du commerce, un exemple serait de faire des ventes. Premier palier : vendre 10 gugusses à 19 $ en une journée. Deuxième : vendre 15 gugusses. Troisième : vendre la compagnie pour que quelqu'un d'autre vende les gugusses à votre place.

2. Deuxième principe dans l'art de prendre des risques : **n'hésitez pas.**

Dans une de mes formations à la Riviera Maya mexicaine, une cliente avait peur des hauteurs.

Nous nous sommes rendus dans une de ces mystérieuses et combien magnifiques grottes, ou *cenotes*. Sur place, il y avait aussi une falaise de cinq mètres de haut de laquelle les participants pouvaient plonger vers une superbe nappe d'eau.

La cliente s'est armée de courage, puis elle s'est approchée du bord de la falaise. Elle a toutefois commis la pire faute devant une peur : elle a hésité. Au signal… 5, 4, 3, 2, 1, *go*. Non, elle recule. « Allez, allez ! clap, clap ! allez, allez ! clap, clap ! 5, 4, 3, 2, 1, et... » *Nope*. Elle a reculé de nouveau.

Plus elle hésitait, plus sa souffrance augmentait. Finalement, j'ai fait un clin d'œil à un collègue qui lui a délicatement donné une petite poussée dans le dos, question de mettre fin à l'angoisse.

Aaaaahhh, plouf ! Yééééééé !

Ça y était, c'était fait. Mais l'hésitation avait déjà fait ses dommages. La cliente, encore sous le choc, ressentait toujours l'émotion et le stress, ce qui la privait du courage et de la fierté qui accompagnent toujours une personne qui réussit à vaincre une peur en prenant un risque.

L'hésitation tue, c'est pas plus compliqué que ça.

3. Troisième et dernier principe pour bien risquer : **risquez ce que vous avez.**

C'est déjà suffisamment difficile d'accumuler l'audace pour prendre un risque, n'allez pas en plus vous mettre une pression indue en risquant ce que vous n'avez pas encore.

Risquez **vos** talents, **vos** actifs, **vos** acquis. Ni plus ni moins. Vous êtes votre principal banquier.

Mais, pour l'amour du ciel (ou plutôt, pour l'amour du ciel sur terre!), **risquez.** Pour vivre l'aventure, il faut *ajouter* des *ventures* (*add* + *ventures* = *adventures* = aventures), il faut **ajouter** des risques. Pour gagner au Monopoly, il faut risquer son « mono » pour obtenir des « poly ».

Exercice n° 10

Bouclez la boucle une fois pour toutes

Pour réussir dans n'importe quelle aventure, vous avez besoin d'énergie. Vous, tout comme moi, avez dans votre vie d'énormes drains, de gigantesques sangsues qui viennent littéralement sucer vos réserves d'énergie vitale. (Je sais que c'est dégoûtant, mais si je ne vous donne pas de pareilles images, vous ne bougerez pas vos fesses.) Donc, vous avez tout plein de sangsues, grosses, noires, collantes et dégoulinantes qui sont collées sur vous. Ouaaaache.

Votre énergie est drainée par chaque problème qui occupe votre esprit. Votre énergie est drainée par chaque relation que vous n'avez pas adéquatement terminée ou nettoyée. Votre énergie est drainée par chaque projet que vous avez amorcé sans le terminer, pour chaque livre commencé et abandonné en cours de route (et oui, vous êtes obligé de finir celui-ci, sinon le maudit Morency sera un drain dans votre vie). Votre énergie est drainée par toutes les demandes que vous vouliez faire mais que vous avez abandonnées avant qu'elles ne se réalisent.

Vous avez donc du pain sur la planche.

Dans cet exercice, il est temps de nettoyer votre histoire, de faire table rase. Il est temps de vous pardonner et de pardonner aux autres. C'est peut-être un peu quétaine de dire ça de cette façon, mais c'est tout de même vrai.

Votre exercice est de boucher un drain majeur de votre vie **aujourd'hui.**

Allez, téléphonez à votre père à qui vous n'avez pas parlé depuis dix ans.

Faites la paix avec ce voisin qui tond sa pelouse le dimanche matin.

Terminez le projet que vous avez mis de côté si longtemps.

Le pardon, c'est le « par » + « don ». C'est par le don que nous nous pardonnons. Quel don ? Le don d'un coup pied à votre derrière pour que vous preniez le téléphone maintenant. Appelez maintenant. (Non, ce n'est pas une infopub, *but please call now.*)

Rien à faire, je ne vous laisserai pas tranquille. Ce fameux drain bouffe toute votre énergie ! Alors, à quoi bon lire des livres de développement personnel si vous n'avez plus de jus pour appliquer ce que vous y apprenez ?

C'est le temps de repartir à neuf. Mais pas avant d'avoir nettoyé le passé. On ne part pas à neuf en cachant la poussière sous le tapis. Ou plutôt, les poubelles sous le tapis. Miam, des vieilles peaux de banane, des couches de bébé souillées et des restants de viande sous le tapis du salon… Impossible de partir sur une page blanche si le recto est tout noir.

« Aujourd'hui est le premier jour du restant de ma vie. » *Right,* ben oui ! Sauf si vous traînez sur votre dos le poids de toutes les années précédentes.

Jetez vos poubelles. Bouchez un drain aujourd'hui.

Ça me fait penser à une histoire qu'un collègue de travail racontait sur son grand-père.

« Mon grand-père mangeait toujours du vieux pain. Comme il vivait seul et qu'il achetait toujours deux pains tranchés, il n'arrivait jamais à manger le premier pain avant que le second ne devienne rassis. Un jour qu'il mangeait une fois de plus du pain rassis, je lui ai dit : "Grand-papa, pourquoi mangez-vous encore du vieux pain alors que vous avez un pain tout frais dans votre armoire ?"

Il m'a répondu : " Mais parce que je dois d'abord finir celui-ci, pour ne rien gaspiller !"

J'en avais assez. Je me suis fâché et j'ai jeté le vieux pain aux ordures. " Grand-papa, c'est peut-être du gaspillage, mais à partir d'aujourd'hui, vous mangerez du pain frais. J'ai fait le ménage." »

Jetez votre vieux pain. Aujourd'hui.

Exercice n° 11

Votre nom de superhéros

Voici le dernier exercice de votre entraînement : trouvez-vous un nom de superhéros. Un nom de joueur.

Vous vous rappelez les bandes dessinées de la célèbre Ligue de justice (ou *Justice League*) ?

Vraiment ? Dites-moi quel était le nom des sept *SuperFriends* originaux. Ne trichez pas, n'allez pas sur Internet.

Superman, Wonder Woman, Martian Manhunter, Hawkgirl, Green Lantern, The Flash et Batman !

Comment je fais pour me souvenir de tout ça ? Euh… j'ai googlé, comme tout le monde.

L'idée d'avoir un nom de superhéros, c'est de toujours avoir à l'esprit que vous êtes en train de **jouer** à la chasse au trésor. Pas de jeu, pas de paradis sur terre.

Je remercie Dieu de m'avoir donné cinq enfants (oui, oui, je te remercie toi aussi, chérie). Ce sont eux qui m'ont montré à jouer. Par exemple, chaque vendredi soir, nous faisons un combat de bouffe à la maison. Oui, oui, nous nous lançons de la nourriture en pleine face.

Je lis dans votre esprit, je sais ce que vous venez tout juste de penser : « Qui ramasse ? »

Vous voyez votre problème ? Vous n'avez même pas commencé à jouer que vous vous demandez déjà qui va faire le ménage.

Trouvez-vous deux chiens, c'est tout, maudite marde !

Tenez, au dernier combat, c'était le tour de ma femme d'organiser la soirée (nous alternons, question de diversifier les combats). Elle a choisi de faire un match « gâteau des anges ».

Sur la table, elle a placé un bol de farine, un bol d'eau, un bol de lait, des œufs, du glaçage et des petites décorations de couleurs, pour la touche finale.

À un certain moment de la soirée, on entend une cloche, et c'est le début des hostilités !

Nous avons tous couru vers la cuisine mais, malheureusement pour moi, mon garçon de dix ans est arrivé avant moi. Il m'a lancé un œuf en plein visage (pas de pitié pour son vieux père). Sur le coup, j'ai découvert une nouvelle loi de la physique : un œuf, ça ne casse pas toujours. Ayoye.

Grimaçant de douleur, je me suis penché. Mon fils de cinq ans m'a aspergé le visage de farine, profitant de ma position.

Mon épouse, voulant m'aider, m'a lancé de l'eau au visage. Eau + farine = colle !

J'étais plié en deux, j'avais les yeux collés et ma petite dernière me faisait une pluie de décorations de bonbons sur la tête. Des heures de plaisir.

Vous, le vendredi soir, c'est comment ? La télé pis un sac de Doritos ? Ouin, ça doit être super le fun.

Lorsque je vous dis que nous jouons, nous jouons. Au mois de mai, il y a quelques années, je m'ennuyais. J'ai donc informé ma famille que nous partions quelques jours plus tard faire le tour des États-Unis. (Oui, durant l'année scolaire. Vive l'éducation sur le terrain !)

Nous avons vendu la maison et nous sommes procuré une autocaravane. En route pour Las Vegas !

Comme mon quinzième anniversaire de mariage approchait, j'avais l'intention de surprendre mon épouse. Quelques semaines plus tard, nous arrivions à l'hôtel Stratosphère sur la célèbre *strip* de Vegas.

Une fois à la chambre, un genou au sol, j'ai redemandé mon épouse en mariage, pour nos noces de cristal, et l'ai informée que le lendemain, nous nous rendions de l'autre côté de la rue pour nous marier encore, à la petite chapelle d'Elvis (Little White Wedding Chapel).

Imaginez la scène au matin. Nous traversons le casino à six, tous en smokings et robes de noce, nous tenant par la main, avec des lunettes d'Elvis. Je crois que c'est la seule fois de ma vie où je suis passé dans un casino et que les machines à sous ont cessé de faire gling-gling. Tout le monde nous regardait passer en se demandant quelle espèce de famille de cinglés nous étions.

Une fois à la chapelle, c'est Elvis lui-même (oui, le vrai) qui a accompagné la promise dans l'allée constituée de trois rangées, en chantant *Are you lonesome tonight.*

Et notre pasteur, superbe, de dire : « *You're gonna love Jesus, you're gonna pray, you're gonna stay married !* »

Nous avons ri, nous avons pleuré. C'était magnifique.

Vous, à votre anniversaire de couple, vous faites quoi ? Des roses achetées à la station-service et le St-Hubert BBQ ?

Libre à vous mais, pour un superhéros, un peu de créativité serait à propos.

◎◎◎

Ainsi se termine le chapitre du Fils.

Pardonnez à Dieu de vous avoir donné vos problèmes. Pauvre Lui, Il vit au paradis. Quel ennui !

Si vous enlevez le mystère, vous détruisez le Père. Lorsque le Fils trouve le trésor, le Père perd Son Fils. *You've then killed the son/sun.*

Parfois, j'espère ne jamais trouver le trésor pour ne pas retourner au paradis.

Parce que vivre au paradis, ça doit être l'enfer !

3

Que ta volonté soit faite :
c'est l'heure de geler la crème !

Pour compléter le signe de croix, nous avons besoin de l'élément secret. Le Père, c'est réglé. Le Fils aussi. Mais le Saint-Esprit ? Et puis, pourquoi associer le Saint-Esprit à de la crème glacée ?

Ah ! nous y sommes ! Nous sautons enfin sur le terrain. Le combat de *paintball* commence bientôt.

Au chapitre 1, nous avons étudié discrètement les objectifs du Père, ses pièges et son intention de se désennuyer en vivant à travers nous une aventure digne des meilleurs films d'action.

Au chapitre 2, nous avons reçu du capitaine des enfants du Père des conseils, des tactiques et des exercices pour nous préparer au jeu. Nous y avons aussi vu qu'être en position difficile au début du jeu est un avantage considérable pour trouver le trésor et recevoir l'intérêt et l'appui du Divin.

Voici venu le moment de sauter sur la patinoire, d'exiger la présence du Saint-Esprit et de partir à la conquête de votre premier trésor.

Quel trésor ?

Le trésor, c'est la réalisation d'une demande.

Le Père, c'est le spectateur qui regarde le Fils (l'acteur)
se débattre pour exposer sa demande.

Mais ce n'est pas tout !

Outre l'observateur (Père) et l'acteur (Fils),
il nous faut l'objet de l'action et de l'observation : le Saint-Esprit.

Dieu, dans son omniprésence (je sais, c'est un peu déjanté, l'affaire, mais nous partons du principe qu'il est tout et partout), représente la **crème** des occasions. L'objectif ultime mais non manifesté.

Si on veut vraiment goûter au paradis sur terre, il nous faut prendre cette crème et la mouler, la rendre moins liquide et plus solide, pour pouvoir y goûter.

Autrement dit : il faut **geler la crème.**

Le Saint-Esprit, c'est la pensée moulée et manifestée. C'est la crème qu'on a glacée ! Mais pour glacer la crème, il faut commencer par se procurer un moule. Un moule, vous l'avez deviné, c'est une demande.

Commencez donc par écrire précisément une demande (si vous avez de la difficulté, reportez-vous au livre *Demandez et vous recevrez*). **Pas de demande, pas de chasse au trésor.**

◎◎◎

Dans cette dernière section, nous verrons :

1. Comment démarrer concrètement la chasse au trésor en formulant **sa demande.**

2. Comment trouver le Saint-Esprit, ce qu'il est vraiment et comment il peut vous conduire au trésor.

Idée fixe et lâcher-prise

> **En ce temps-là, la crème glacée gisait au fond d'un congélateur, cachée sous le poids d'aliments surgelés, semblable à une défense de mammouth, attendant patiemment sa destinée pour livrer au monde le paradis terrestre.**

Cette section a pour but d'expliquer le mécanisme par lequel une demande conceptuelle devient matérielle.

Nous parcourrons ensemble les étapes pour bien faire une demande, puis les moyens de la faire évoluer pour qu'elle se matérialise.

C'est l'heure du jardinage

De tous les exercices que je recommande de faire pour apprendre à bien demander, ma préférée est sans contredit le jardinage.

Pour obtenir des légumes, des fruits, des herbes ou des fleurs, il faut suivre un processus rigoureux combinant l'anticipation active et le laisser-aller.

Il faut atteindre un équilibre entre faire du résultat désiré une idée fixe et s'abandonner à l'intelligence et au bon vouloir de Dame Nature, la parfaite harmonie entre ce que je peux contrôler, un processus rigoureux et une foi solide dans ce que je ne peux pas contrôler.

Quelles sont les étapes pour obtenir, disons, de belles tomates, les tomates étant, ici, vos demandes?

Conseil de Pierre ⎯⎯⎯⎯⎯⎯⎯⎯⎯⎯

Comme toujours, je vous recommande de faire plus que de la simple lecture. Pourquoi ne pas commencer un potager (c'est aussi possible de le faire dans la maison, si vous lisez ce livre en saison hivernale) et goûter au processus plutôt que de simplement le digérer intellectuellement?

1. Évidemment, il nous faut d'abord des semences de tomates. En fait, il faut d'abord avoir choisi le type de semences que nous désirons. Vous devez vous rendre au magasin de semences et dire: « Bonjour, monsieur, je me cherche une graine. » (Bon, attention à votre manière de le demander, ça pourrait porter à confusion.)

2. Ensuite, nous avons besoin d'une bonne terre pour semer les graines.

3. Puis nous mettons les graines en terre (ça peut paraître évident, mais nous verrons que cette étape est très souvent négligée lorsque vous faites une demande à l'univers).

4. Nous assurons l'approvisionnement en eau et en lumière.

5. Nous mettons de l'engrais pour de meilleures tomates.

6. Nous protégeons l'endroit contre les vermines et les mauvaises herbes.

7. Nous laissons aller le tout, nous fiant à Dame Nature.

8. Nous récoltons.

Je ne suis pas expert en culture de tomates, mais grosso modo, voilà la façon de faire. Appliquons maintenant ces mêmes étapes à votre demande.

Je vous rappelle que votre demande, c'est le point de départ de votre chasse au trésor. Le trésor, c'est la demande matérialisée (la crème glacée).

Conseil de Pierre ────────────────────────

Quand je parle de demande, je parle d'un désir particulier que vous souhaitez voir se concrétiser dans votre vie, qu'il soit physique, relationnel, professionnel, intellectuel ou spirituel. Par exemple, vous avez trouvé un poste précis que vous souhaitez occuper. C'est une semence connue. Si vous ne savez pas ce que vous voulez, vous avez plutôt une question du genre : « Quel serait le meilleur emploi pour moi ? » Dans les deux cas, vous pouvez utiliser la séquence qui suit pour obtenir soit la réalisation du désir, soit la réponse à la question. Même procédé.

Il n'y a peut-être pas de recette pour favoriser le bonheur mais, en ce qui a trait à la réalisation d'une demande, il y en a une. Et précise à part ça.

Reprenons les **8 étapes** de jardinage et appliquons-les à votre demande :

1. *La graine.* Nous partons de votre demande non formulée, c'est-à-dire la semence, le germe d'un désir.

2. *Un terreau fertile.* La bonne terre pour semer cette intention, c'est la terre de votre esprit, de votre imagination, dans un état mental calme et serein, où les pensées sont contrôlées (c'est ici que je recommande fortement la pratique de la méditation, pour apprendre à calmer les pensées et avoir une meilleure terre pour semer vos demandes).

3. *L'implantation du désir.* Étape cruciale : il faut prendre le temps, dans un état de détente ou de méditation, d'aller implanter le désir dans son propre esprit et de vivre intérieurement le résultat voulu. C'est ici la signification précise de « Ce que vous demandez en prières, croyez que vous l'avez reçu et vous le verrez s'accomplir ».

4. *L'arrosage.* Une fois la demande semée dans votre monde intérieur, il faut la nourrir d'eau, c'est-à-dire d'émotions de joie et de plaisir, un peu comme la joie de savoir que nous aurons sous peu de belles tomates. Et avoir aussi une confiance totale dans le processus qui a fait ses preuves. Une fois bien semée, toute demande **doit absolument prendre forme dans le monde physique.**

Et comme c'est le cas pour la graine de tomate qui pousse en terre, vous n'avez pas du tout à comprendre le mécanisme exact par lequel une demande semée dans le monde intérieur se manifeste dans le monde extérieur. Vous ne savez pas non plus comment exactement la coquille de la graine de tomate se fend, comment les racines prennent forme, etc. Vous savez seulement que vous aurez des tomates !

Le soleil se traduit par de l'énergie physique et psychique transférée à la demande. Pour ce faire, il faut s'assurer que lorsqu'on sème la demande, on nourrit régulièrement l'idée de la demande manifestée par une concentration précise sur ce qui est désiré. Pour réussir cette concentration, il faut avoir accumulé de l'énergie. C'est un peu comme pour projeter une image de pellicule photographique sur un écran géant. Si votre projecteur n'a pas beaucoup d'énergie lumineuse, l'image sur l'écran géant sera difficile à voir. Au contraire, si vous avez beaucoup d'énergie lumineuse, l'image sera claire.

Plus d'énergie sur l'image intérieure du désir manifesté, plus la réalisation est rapide. Pour mieux comprendre ce principe (très similaire à celui qui fait fonctionner votre télévision ou votre appareil photo ou, mieux encore, les bons vieux appareils à diapositives), imaginez que vous avez une ampoule au centre de votre cerveau. Imaginez ensuite que vos yeux fonctionnent comme une caméra de projection. Finalement, imaginez que vous placez derrière vos yeux une image et que vous voulez projeter cette image sur, disons, le mur de votre salon. Plus votre ampoule est puissante, plus l'image projetée sur le mur sera claire. Même principe pour vos demandes.

5. *L'engrais*. La bouse. Le fumier ! Ouaip, nous revoilà dans la marde. *Yes,* on est dans marde.

   La marde, ce sont les problèmes, les obstacles auxquels vous vous butez dans votre vie une fois la demande implantée dans votre esprit. Chaque problème vécu, une fois une demande ancrée en vous, est un extraordinaire avantage : c'est un engrais pour faire pousser votre demande.

   Nous utiliserons les défis ainsi rencontrés en nous posant la question, dans le contexte de la demande à réaliser : « Pourquoi ça m'arrive maintenant ? »

   Ici, c'est comme dans le jardinage. Si vous n'avez pas semé des graines de tomates et qu'on vous livre une montagne de fumier, ça va sentir mauvais. Par contre, du fumier, on en commande encore et encore lorsqu'on a quelque chose à faire pousser.

6. *L'étape de protection*. Dans le processus de demande, la vermine et les mauvaises herbes, ce sont les doutes, les commentaires d'autrui et l'hésitation. Pour les éviter, gardez votre demande pour vous. N'en parlez tout simplement pas.

7. *Le lâcher-prise*. Laissons aller le tout. Fions-nous à Dame Nature.

8. *La récolte*. Une fois les fruits de votre demande obtenus, il est temps de faire la fête pour les partager. C'est le moment de parler, de dire haut et fort ce que vous avez obtenu, question d'inspirer les autres à

faire de même. En partageant vos vendanges, vous obtiendrez automatiquement de meilleures semences pour votre prochaine saison. C'est à nouveau l'application constructive de la loi de l'action-réaction.

Voilà ! Vous êtes maintenant jardinier officiel du jardin d'Éden.

Maman, j'ai envie !

Souvent, on m'écrit pour me demander comment trouver une bonne demande. Je suis toujours surpris par cette question puisque, de mon point de vue, la liste de demandes à goûter sur terre est quasi illimitée.

Si vous ne savez pas quoi demander, je vous invite à visiter la liste des situations où vous ressentez soit de la jalousie, soit de l'envie.

Initialement, partez de l'envie et des critiques négatives que vous émettez à l'égard de quelqu'un ou d'une circonstance. « Maudit voisin. Y est fatigant avec sa stupide piscine et son filtreur qui fait un vacarme d'enfer la nuit. »

Lorsque vous critiquez ou enviez quelque chose, il y a de bonnes chances que vous désiriez consciemment ou non l'objet de la critique. (Avouez que vous la critiquez souvent, notre Céline Dion nationale, mais que vous aimeriez bien chanter comme elle et faire tout l'argent qu'elle fait, allez, avouez.)

Une fois votre sujet d'envie ou de critique favori déterminé, transmutez-le, redéfinissez-le en le formulant sous forme de désir : « Je veux une piscine comme celle du voisin, pour y chanter comme Céline. » En transmutant de l'envie négative en envie positive, vous deviendrez plus en+vie !

Cessez de vous tuer par la critique et osez demander ce que vous enviez, ce qui vous rend vert de jalousie chez les autres.

Obsédé, va !

Pourquoi parler d'obsession quand on parle de demande ? Parce que vous devez passer beaucoup de temps à bien définir ce que vous voulez.

Vous devez passer beaucoup de temps à vous assurer, **avant de semer la demande dans votre esprit,** que ce que vous voulez, vous le voulez pour de vrai, tout de suite et sans incohérence.

« Pierre, j'aimerais bien vivre à Hawaï. » C'est vrai ? Vous aimeriez vivre sous les cocotiers et ne plus avoir besoin du laitier ? *Hawaïenne, j'aurais voulu que tu sois, hawaïenne* (oups, désolé, mon plus jeune chante souvent cette chanson des Trois Accords).

Alors, si c'est vrai que vous souhaitez vivre à Hawaï, si vous êtes vraiment sérieux, partez. Maintenant. Oui, oui, aujourd'hui.

« Oui, mais Pierre, c'est que je ne sais pas ce que j'y ferais, euh… puis il y a l'école des enfants, euh… puis je ne parle bien anglais. »

Téteux ! Une fois de plus, vous vivez dans votre esprit en vous projetant sans cesse des soi-disant scénarios de film que vous n'êtes au fond pas du tout prêt à vivre pour de vrai.

C'est pour ça que vos demandes prennent une éternité à se réaliser : vous avez entraîné toute votre vie votre subconscient à **ne pas** matérialiser vos désirs en formulant continuellement des demandes que vous voulez, mais… pas tout de suite.

« Je veux être riche, mais pas tout de suite. Je veux d'abord mériter le tout à la sueur de mon front. »

« Je veux jouer la normale au golf, mais pas tout de suite. Je veux d'abord jouer cinq fois par semaine et deux fois par jour pour m'améliorer progressivement sur vingt-cinq ans. »

« Je veux piloter un hélicoptère, mais pas tout de suite. Je veux d'abord déménager pour avoir un endroit pour le poser. »

« Je veux des enfants, mais pas tout de suite. Je veux d'abord ma liberté avec mon joint ou ma jointe. »

« Je veux un joint idéal ou une jointe idéale pour moi, mais pas tout de suite. Je veux d'abord passer mes soirées et mes week-ends avec mes amis pour me plaindre que les célibataires décents se font rares. »

Prenez le temps qu'il faut pour réfléchir à ce que vous souhaitez demander sur terre. Soyez un véritable obsédé durant la phase de réflexion, de sélection du désir. Jusqu'au point où vous n'avez plus de doute, plus de compromis, plus d'incohérence à l'égard de ce désir. Jusqu'à ce que vous souhaitiez plus que tout au monde que cette demande se réalise ici, **tout de suite.**

Ensuite, ne vous donnez plus la permission de changer de décision. Vous devrez réussir ou mourir.

Vous bannissez l'obsession et le doute, puis vous vous abandonnez à Dieu. Vous laissez aller la demande sans plus jamais y revenir.

Vous laissez les moyens arriver.

Pas moyen de moyenner

« Justement, Pierre, je n'ai pas les moyens de réaliser ma demande. »

Alors, vous n'avez pas les moyens ! *Yes,* oui, youppi, enfin ! Excellent. Parfait. Vous n'avez pas les moyens et ne les aurez jamais avant d'avoir lâché prise.

Vous devez lâcher prise **justement** parce que vous n'avez **pas** les moyens.

Abandonnez ! Exactement. **Vous n'avez pas et n'aurez jamais les moyens.**

Non, je ne délire pas. Je ne vous dis pas d'abandonner votre demande. Je vous dis d'abandonner votre lutte pour trouver les moyens de réaliser votre demande avant d'avoir fait cette demande.

Ouvrez grands vos yeux et vos oreilles et lisez à haute voix :

Les moyens n'arrivent qu'après le lâcher-prise.

Les moyens n'arrivent qu'après le lâcher-prise.

Les moyens n'arrivent qu'après le lâcher-prise.

Les moyens n'arrivent qu'après le lâcher-prise.

Les moyens n'arrivent qu'après le lâcher-prise.

Les moyens n'arrivent qu'après le lâcher-prise.

Les moyens n'arrivent qu'après le lâcher-prise.

Les moyens n'arrivent qu'après le lâcher-prise.

Les moyens n'arrivent qu'après le lâcher-prise.

Les moyens n'arrivent qu'après le lâcher-prise.

Les moyens n'arrivent qu'après le lâcher-prise.

Les moyens n'arrivent qu'après le lâcher-prise.

Les moyens n'arrivent qu'après le lâcher-prise.

Les moyens n'arrivent qu'après le lâcher-prise.

Pas moyen de moyenner !

Dieu n'aime pas le moyen. Il aime le chaud ou le froid. Vous êtes tout à fait cuit. Vous ne pouvez pas faire de *deal* avec Dieu ni avec son chum, le diable. Allez-y, faites un pacte avec le diable, pour voir. Écrivez un contrat et coupez-vous la paume de la main pour sceller l'entente. Du sang gaspillé. Tant qu'à faire des *deals* de ce type, faites-en un avec Héma-Québec du genre : « Chaque fois que je voudrai faire un *deal* avec le diable pour une demande, débarquez chez moi et pompez-moi le sang ! » Au moins, vous aurez de cette façon un peu de monnaie d'échange.

De nouveau, je le répète : les moyens pour obtenir ce que vous voulez n'arrivent jamais avant d'avoir pris le risque, **mais seulement une fois le risque pris,** sans possibilité de portes de sortie.

En d'autres termes, vous n'aurez pas les moyens pour réaliser un rêve, un projet, une relation ou ce que vous voulez **avant** de vous jeter dans le vide pour l'obtenir, avec l'attitude de lâcher-prise requise. Il arrivera ce qu'il arrivera, voilà la bonne attitude.

Vous vous rappelez le troisième film dans la série des Indiana Jones (*La dernière croisade*), alors qu'Indi doit absolument franchir des épreuves pour se rendre au Graal et rapporter de l'eau sacrée à son père (Sean Connery) qui lui sauvera éventuellement la vie ?

À la dernière épreuve, Jones doit franchir un gouffre. Il ne voit rien. Il doit faire un acte de foi. Il doit faire un pas en avant, au risque de tout perdre, sans voir de pont. Vous devinez la suite : au moment où il fait le pas, un miraculeux pont apparaît sous son pied **déjà en mouvement.**

Faites le saut, le parachute apparaîtra. **Il apparaîtra, je vous le dis !** À condition, bien sûr, que vous fassiez ce pas inconditionnellement et irréversiblement. (Si vous hésitez encore, retournez au palier de risque précédent et revoyez le film mentionné. Vous verrez qu'Indiana prend un autre risque encore plus grand immédiatement après celui du passage.)

La vraie foi

Cette section s'intitule « Idée fixe et lâcher-prise » parce qu'il faut un peu des deux pour faire une demande. Lorsqu'on choisit ce qu'on veut, lorsqu'on conçoit une demande, on doit en faire une idée fixe. On doit être **complètement obsédé** par elle. Obsession maniaque pour les détails et la précision du désir. Vous pouvez dans cette phase prendre autant de temps que vous voulez pour bien choisir votre semence.

Par contre, une fois le désir semé dans votre esprit, vous devez lâcher prise, laisser aller les choses. Vous fier à l'univers. Avoir foi dans le procédé infaillible de cette loi de la création.

Lorsqu'on a semé une graine de tomate, on ne va pas la déterrer toutes les cinq minutes pour voir si elle pousse : « Voyons, qu'est-ce que tu fais, tu pousses pas ? » Cessez de faire la même chose avec vos demandes ! Non mais, lorsque vous avez demandé quelque chose à l'univers, vous passez votre temps (bien sûr que je vous connais, je vous l'ai dit : je lis dans vos pensées) à parler de votre demande à tout le monde : « Je ne sais pas ce qui va arriver avec ma demande. Je me demande si ma demande va se réaliser. Crois-tu que j'ai bien demandé ? Zut, j'aurais dû dire je suis ou je veux ou je veux que je suis ou je suis ce que je veux ou… » Taisez-vous ! Trouvez-vous des loisirs ! Laissez vos demandes pousser en paix. (Zen, zen, du calme, Pierre, du calme.)

Il n'y a donc pas d'incohérence entre être obsédé par une demande avant de la formuler et lâcher prise après qu'elle l'ait été.

Dans le signe de croix, le mouvement vertical du Père au Fils représente l'obsession du Fils pour une demande. Le Saint-Esprit, geste horizontal, représente le lâcher-prise du Fils à l'intelligence infinie qui manifeste toutes les demandes. Et la crème glacée ? Ben voyons, c'est le service à l'auto du Saint-Esprit, qui livre la marchandise !

Donc, refusez les compromis. Refusez les sacrifices. Refusez. À tout prix. Même lorsqu'il s'agit d'agencer vos demandes à celles de vos enfants et aux exigences de vos responsabilités. Trouvez des solutions gagnant-gagnant.

La vraie foi ne peut qu'amener à l'état d'innocence et d'égoïsme pur par lequel on sait que Dieu, le scripteur du film, le grand manitou, s'occupe de tout le monde. L'égoïsme donne accès à la crème glacée.

De quelle prétention sommes-nous pour croire que nous pouvons aider les autres? Occupez-vous de vos demandes. Faites-en une idée fixe, puis laissez aller.

Comment savoir si ça marche? Les critiques!

Je sais. Je sais qu'il est très stressant d'attendre qu'une demande se réalise. C'est quasi agonisant! Bon, j'exagère un peu, mais si seulement nous pouvions avoir un signe, un indice que notre demande est en voie de se matérialiser.

Lorsqu'on plante des tomates, on voit une progression qui donne un peu d'espoir. Entre autres lorsque la première petite pousse se montre le nez, quand la plante pousse, etc. Il y a des signes qui rassurent. Si seulement c'était la même chose avec nos demandes!

Vous savez quoi? Ça l'est! Il y a des signes avant-coureurs. Il y a **4 signes**:

1. *L'augmentation des figures ou symboles religieux dans votre vie.* Par exemple, vous croisez le prêtre qui vous a mariés, vous tombez sur votre première bible ou vous revoyez, après une longue absence, un de vos gourous ou sources d'inspiration spirituelle. C'est le signe que le Père (je vous rappelle que le Père représente l'essence, la substance non manifestée qui doit être versée dans le moule de votre demande) commence à prendre forme pour réaliser votre désir.

2. *L'augmentation des problèmes.* L'augmentation de, dites-le bien haut, de… eh oui ! la marde dans votre vie. Plus de détails là-dessus dans quelques paragraphes.

3. *L'augmentation des critiques que vous recevez.* Cette fois, c'est vous qui devenez l'objet de l'envie d'autrui. Alors préparez votre armure. « Les critiques m'ont encore planté aujourd'hui ! » Tant mieux, on ne pousse qu'une fois planté. Soyez content quand les autres vous critiquent. Vous poussez !

Ne cessez surtout pas les actions où vous vous faites le plus critiquer. Je ne parle pas, bien sûr, de sincères suggestions d'amélioration, mais de critiques à saveur d'attaque. De critiques qui visent à détruire votre noyau, votre fil conducteur. Derrière ces critiques il y a **Dieu** qui cherche à retarder votre découverte du trésor. **Suivez la piste de ces critiques.** Une critique qui vous plante au cœur doit être interprétée comme une pancarte qui vous dit : « Venez par ici. »

Justement, une anecdote. Parmi tous les ouvrages que j'ai écrits, celui qui s'est fait le plus critiquer (j'ai bien hâte de me faire planter sur ce livre-ci !) est *Le cycle de rinçage.* De mon point de vue, il est possiblement le livre le plus important que j'aie écrit pour assurer la dynamique adéquate d'un couple, d'une famille et donc de la société. Par contre, c'est le livre qui, pour ceux et celles qui ont vécu une séparation, est le plus difficile à avaler. Ha ! Vive les couples qui se nettoient.

4. *Un signe immédiat au moment de la semence.* Cet indice est capital mais plus subtil. Lorsque vous semez la demande **de manière irrévocable** dans la terre de votre esprit et que vous passez de l'état d'idée fixe à l'état de lâcher-prise. Lorsque vous passez de *je veux* à, maintenant que j'ai semé, *que Ta volonté soit faite*, l'univers (vous à l'état de Père) vous envoie dans les minutes qui suivent un signe incontestable que vous avez fait une demande adéquate.

Par exemple, vous prenez la décision une fois pour toutes de lancer votre entreprise et de quitter cet emploi que vous détestez. Vous avez été obsédé pendant des mois par cette décision. Vous avez réfléchi à votre projet d'entreprise au point de passer des dizaines de nuits blanches. Et maintenant, vous vous décidez enfin. Vous vous placez en état de détente et vous semez votre demande dans votre esprit. (**N'oubliez pas de faire cette étape capitale.** Pour que ça fonctionne, vous devez semer la nouvelle réalité dans votre esprit, puis dire : « Maintenant, que Ta volonté soit faite » ou *Inch'Allah*, c'est comme on veut.

Ça y est. Vous vous êtes lancé dans le vide. Question d'être bien certain ou certaine que vous ne pourrez pas changer d'idée, vous incorporez votre entreprise et vous vous rendez sur-le-champ auprès de votre employeur pour offrir votre démission. Vous n'avez pas de filet. Vous êtes nerveux mais bien décidé cette fois à ne pas rebrousser chemin. Vous espérez ce fameux signe d'appui de l'univers pour confirmer votre demande, maintenant que vous avez fait le pas irréversible.

Au moment où vous alliez frapper à la porte du bureau de votre patron, celui-ci ouvre la porte et vous remet une lettre. Paf ! Voilà le signe. Dans la lettre, il y a… une augmentation. **Une augmentation !**

Que faites-vous ? Ha, ah ! C'est ici qu'on voit si vous tenez vos pantalons. Le signe est en même temps un test pour voir si votre décision est bien irréversible. Très alléchante, cette augmentation. **C'est bien sûr un piège du Père.** Ne rebroussez pas chemin. Vous prenez la lettre, vous remerciez votre patron, vous annoncez votre démission, puis vous déchirez le papier.

Regardez maintenant vos tomates. Elles commencent à pousser.

Yes, yes, yes, *on est ENFIN dans marde.* Et maintenant ?

Pour parvenir au trésor, à votre demande qui se matérialise, il faut comprendre la signification des indices. Il faut réussir les épreuves et résoudre les énigmes, qui en fait cachent toujours l'indice suivant.

Dès que vous avez lancé, sans possibilité de recul, une demande valable à l'univers, les embûches commencent. Ces embûches, en général, ce sont des avantages sous forme de marde qui nous tombent dessus dans la vie de tous les jours.

Je vous le précise : il vous tombera **toujours** de la marde dessus. Toujours. Comme le disent si bien nos voisins, *shit happens, thank God*!

La question suivante, c'est : « Qu'est-ce qu'on fait avec la *shit*? »

Vous avez deux choix : ou bien vous laissez votre merde vous noyer dans une montagne de chialage constipé et de lamentations en putréfaction. Ou bien vous voyez le tout comme du précieux fumier que vous épandez sur vos demandes en bougeant vos fesses et en transformant un problème en occasion. Pour ça, vous devez avoir une demande en cours.

Sinon, qu'est-ce que vous faites avec de l'engrais si vous n'avez aucune terre semée ? Vous mettez le fumier dans votre garde-robe ?

Je résume.

1. Un trésor est une demande matérialisée, symbolisée idéalement par un bon cornet de crème glacée.

2. Dieu, dans son désir incommensurable de se faire jouer à travers nous, a caché les indices les plus précieux (pour trouver le trésor, c'est-à-dire pour réaliser votre demande) dans les problèmes de votre vie.

3. Considérez donc la marde comme sainte. *Holy shit.* Sainte Marde.

4. Maintenant que vous êtes **absolument convaincu** qu'un problème est un avantage, un raccourci, une porte des étoiles, et maintenant que vous avez semé une demande, vous vous demandez, à chaque embûche de votre vie : **pourquoi ça m'arrive maintenant** ?

5. Ensuite, à partir de la réponse que vous en déduisez, vous passez immédiatement à l'action en suivant les impulsions que vous ressentez. Vous bougez. Vous faites des gestes instinctifs. Ces gestes ne seront **jamais** appuyés sur la logique. N'y songez même pas : vous ne pourrez pas les expliquer. Vous-même ne comprendrez pas pourquoi vous agissez comme vous le faites. Ce sera tout simplement plus fort que vous.

6. Une fois le geste posé (une fois que le problème que vous avez vécu a été utilisé comme engrais), vous passez à l'indice suivant. Lequel ? Eh oui, une autre bonne pelletée de...

Plus vous approchez du trésor, plus vous serez dedans jusqu'au cou

Ne lâchez pas, nous achevons avec ces questions de marde. (Mais bon, vous avez dû vous habituer.) C'est comme les gens qui vivent à la campagne et sont tellement habitués à l'odeur du fumier qu'ils ne la sentent même plus. Habituez-vous, c'est tout.

Lorsqu'une demande est en cours de matérialisation, il y a un principe qui dit que la quantité de problèmes que vous vivez est proportionnelle aux chances de réussite de la demande. Autrement dit, plus vous vous approchez du trésor, plus vous nagerez dans les difficultés, du moins en apparence.

Rappelez-vous la dernière fois que vous avez vu un bon film d'action.

Au début, le héros a quelques ennuis. Il s'en tire sans trop de difficultés. À mesure que l'histoire progresse, des catastrophes de plus en plus catastrophiques lui tombent dessus, question de rendre le dénouement plus intrigant, plus piquant, plus exaltant.

Est-ce que vous, spectateur, paniquez pour autant ? Bien sûr que non (sauf si vous sniffez votre *popcorn*). Vous **savez** que l'auteur du film fera gagner le héros à la fin. Vous êtes même content que celui-ci doive se battre pour réussir. C'est ce qui rend le film intéressant.

Pour vous, mesdames, une vie à la Lara Croft, les beaux gars, etc.

Pour les messieurs, une vie à la James Bond : l'aventure, les belles filles et toute la m... qui lui tombe dessus. Au fait, il n'y a pas de hasard : même le chef de Bond s'appelle M... Non mais !

Il en va de même pour votre vie : plus vous vous approcherez de la réalisation de votre demande, plus grands seront les obstacles à contourner. Le dernier kilomètre d'un marathon est beaucoup plus difficile que le premier.

« Comme ça, Pierre, je suis condamné à vivre dans le stress et les problèmes ? »

Exactement. Vos selles seront toujours vos selles. Pas celles des autres. Les vôtres.

Sauf que, primo, vous n'êtes pas condamné, mais plutôt **très chanceux** de pouvoir être le héros du film de votre vie.

Secundo, je me répète, mais c'est essentiel, ce ne sont pas des problèmes mais des **avantages,** si vous savez comment vous servir du fumier comme engrais.

Tertio, le stress, ça se perd avec le temps. Avec les années et l'entraînement, on s'habitue à considérer les problèmes comme des atouts. Le stress devient **du piquant.** Du bon stress. Un peu comme un artiste qui monte sur scène. Lorsque je suis sur le point de commencer un *show,* j'ai besoin de ce stress positif pour me donner de l'énergie : pas de stress, pas de succès.

On apprend à convertir le stress en énergie pétillante de vie par la pratique, l'habitude et les modèles.

À force de s'exercer à transmuter un problème en avantage, on finit par se rendre compte que c'est exactement ce processus qui rend la vie magique et intéressante.

Marde il y a, marde il y aura toujours.

Si vous souhaitez vraiment ne plus avoir de marde dans votre vie, vous mourrez.

Et une fois mort, vous deviendrez vous-même de la marde. Non, mais c'est-tu assez cool ?

Vous voyez bien que vous ne pouvez pas vous en sortir. Aussi bien en profiter.

Sacré mardeux, allez !

À *pleins gaz, bousez-vous*

Je termine cette section sur l'idée fixe et le lâcher-prise en vous incitant vraiment à passer à l'action. Dès aujourd'hui.

Choisissez une demande, semez-la, puis utilisez soit la tactique du changement de réalité – le changement de fréquence (vous vous rappelez le deuxième chapitre, j'espère !) –, soit la tactique des signes – la cocréation de la réalité.

Ensuite vous « bousez » vos fesses. (Pardonnez-moi, je ne pouvais pas m'en empêcher.)

On me demande souvent comment je fais pour faire tout ce que je fais, lancer des entreprises, cinq enfants, écrire des livres, donner des conférences dans divers pays et maintenir une vie équilibrée.

Ma réponse : **je fonce.** Je fonce et je vis intensément mes problèmes. Je suis dans la marde à longueur de journée. Vous savez combien de fois mon éditeur m'a fait réécrire *Demandez et vous recevrez* ? J'vous le dis pas, vous ne me croirez pas. (Mon éditeur est un tortionnaire, mais se faire fouetter, c'est tellement l'fun !) Bref, dès qu'il m'arrive une supposée catastrophe, je mets la pédale au plancher et j'agis tout de suite.

Pourquoi je bouge si vite lorsqu'une brique me tombe dessus ? Parce que je sais très bien qu'un problème est un avantage, mais que l'avantage disparaît rapidement si on n'utilise pas le problème comme engrais.

Récemment, je vivais dans les Laurentides dans une maison en location. Nous y habitions depuis deux ans lorsque nous faisons venir un inspecteur pour évaluer la valeur de la propriété que nous songions acheter à l'époque. À la fin de sa visite, il m'a dit, le regard un peu alarmé : « Monsieur, si j'étais vous, je ne vivrais pas une minute de plus ici. La structure de la maison est dans un état lamentable, et les moisissures se sont considérablement accumulées dans le plafond. »

Pire encore, mon épouse sur le point d'accoucher venait malheureusement (ou heureusement !) d'entendre ces paroles. Affolée, elle était prête à passer le reste du mois à l'hôtel. *Right !* L'hôtel pendant un mois, avec quatre enfants, une femme enceinte, un lapin, quatre chats, les conférences et la fin des classes… Ben oui, me semble !

Vous admettez que c'était toute une brique.

Le lendemain, mon épouse et moi sautons dans notre bagnole et partons sur la piste de signes pour trouver notre future résidence (c'est la tactique offensive).

Je me donne au max trois heures pour trouver.

Nous partons donc, sans destination précise, puis nous nous retrouvons dans un quartier inconnu de nous. Nous circulons dans les rues, puis nous nous arrêtons devant une propriété à louer. Curieusement, l'agente immobilière chargée de la location est sur place.

Nous entrons et demandons à visiter. Je porte à ce moment mes désormais célèbres chaussettes rayées jaune et noir (celles que je porte en spectacle – je déteste porter des chaussures).

La dame, un peu perplexe, dit à mon épouse : « Votre mari ressemble à Pierre Morency. » Jessy éclate de rire : « C'est lui ! »

L'agente, ayant assisté quelques mois auparavant au spectacle *Demandez et vous recevrez*, est pour le moins surprise et elle nous invite à visiter une autre propriété sous sa responsabilité.

Croyez-le ou non, cette autre propriété, nous l'avons louée le soir même à des conditions très avantageuses pour nous. Une semaine plus tard, nous emménagions !

Voilà pourquoi je bouge vite lorsqu'une tuile me tombe sur la tête.

Si je mets les gaz, c'est justement pour utiliser la marde comme carburant. (D'ailleurs, marde et gaz, ça va ensemble, non ? Allez, riez, je sais que c'est drôle. Tout le monde trouve les pets drôles. Vous avez déjà vu du monde pleurer quand quelqu'un flatule ? Rien comme une session de gaz à volonté pour régler des problèmes. *Join the Fart Squad.*)

Tiens, question de célébrer votre nouvelle alliance avec la marde de votre vie, prenez-vous un verre de quelque chose. Nous allons porter un toast à quelque chose. Allez-y, je vous attends. Portons ensemble un toast à la bouse. Tchin tchin ! vive la bouse !

Comme il y aura toujours des problèmes dans votre vie et que vous reconnaissez maintenant ceux-ci comme des avantages, développez votre sens de l'humour.

Répétez après moi : **vive la bouse !**

L'humour empêche le Père de comprendre que nous sommes en train de le battre à son propre jeu.

Les anglophones ont justement une expression que j'adore : *« Be careful when the shit hits the fan »* (quelque chose comme : attention quand la marde frappe le ventilateur).

Moi, je n'ai qu'un souhait par ce livre : que la *shit hits* mes ventilateurs (mes fans). Parce que si la merde s'abat sur vous, vous pourrez tout réaliser, vous aurez tout l'or du monde.

Alors on répète après moi : vive la bouse !

Le signe de croix et le trésor

> **Sucrée, délicieuse et parfumée, la crème glacée se demandait à quand le jour de la dégustation, à quand la fin des conversations. À quand l'heure de sa gloire, de sa mission, qui est d'équilibrer les rôles du Père et du Fils par un trait horizontal à l'image d'une balance à fléau? Souhaitant ne pas fondre avant le jugement dernier, elle lança un dernier cri à la défense du paradis maintenant et ici.**

Nous voyons poindre à l'horizon la lueur scintillante de notre coffre au trésor à tous les deux : le fruit de la lecture que nous avons faite ensemble. Il nous reste à compléter le signe de croix, à relier le Père et le Fils pour obtenir notre droit d'entrer au paradis.

De façon un peu plus directe, le Fils doit maintenant mourir sur la croix de son passé pour obtenir le paradis de sa nouvelle réalité, de sa nouvelle demande.

C'est le chapitre de l'Esprit saint. Lisez bien.

Un Esprit devient saint lorsqu'il est d'abord sain.

Sain + T (la croix) = Saint.

Nous avons passé l'ensemble de ce livre à refaire une santé à votre esprit, d'abord en lui donnant un peu de perspective sur les problèmes de tous les jours, faisant d'eux un véritable engrais pour vos demandes, puis en développant des exercices et des tactiques pour bien effectuer une demande, c'est-à-dire bien lancer une chasse au trésor.

Maintenant, nous allons, mystère des mystères, faire un pas de plus pour sanctifier cet esprit maintenant nettoyé de ses fausses croyances et attentes.

Tant qu'à être audacieux, aussi bien y aller pour la sainteté.

Yoyo ou yoga

Ayant passé plusieurs années de ma vie à étudier la religion, j'ai un faible pour tout ce qui est sacré. Que ce soit les sacrements chrétiens, le mysticisme oriental, les lilas (aventures sacrées) de Krishna, les pratiques tantriques ou les pujas (cérémonies et offrandes) du vedanta, j'apprécie les explications exotériques et ésotériques de chacun.

Le signe de croix est justement l'un de ces gestes, pour ne pas dire symbole sacré, à la signification très étendue.

En fait, si j'ose croiser l'Orient et l'Occident, le signe de croix, c'est l'union, le yoga de l'action (idée fixe) et de la réaction (lâcher-prise).

C'est aussi la démonstration de la recherche de l'équilibre entre le Père, spectateur ultime qui cherche à oublier Son ennui à travers les aventures du Fils, et le Fils, qui veut à l'inverse retrouver le Père en mourant sur la croix de ses fardeaux.

L'équilibre se trouve représenté par le Saint-Esprit. L'Esprit qui comprend sainement que le paradis se trouve dans l'art de demeurer l'acteur pour le plaisir du Père.

Quel plaisir ? Celui où le Père, la crème sans forme, oublie son infinie potentialité en se fondant à 100 % dans le Fils, prenant pleinement et uniquement conscience du présent.

Comment? En mordant dans une boule de crème glacée ou en goûtant **totalement** à n'importe quel désir ardemment voulu au point de s'y perdre. Le but est d'infuser toute sa conscience de la dégustation du désir manifesté (la crème qui s'est glacée dans une forme précise) justement pour ne plus avoir d'esprit à ce moment. Seulement le présent et les sens. C'est à ce moment que le Père rejoint le Fils dans un esprit sanctifié par l'instant. L'avantage de la crème glacée, c'est que parfois, lorsqu'on la mange trop vite on a un *brain freeze* (oui, oui, l'esprit gèle).

Conseil de Pierre

Je vous rappelle que j'utilise ici « crème glacée » sur **2 plans** :

1. Le plan ésotérique, du Père, sous forme de crème, qu'il faut geler dans le moule d'une demande pour qu'elle soit goûtée par le Fils.

2. La crème glacée qu'on met sur un cornet... parce que c'est justement un morceau de paradis terrestre à moi, qui me permet de perdre mes pensées et d'être. Oui, juste être.

Le mot yoga représente l'union. L'union du pôle divin et du pôle humain. Les deux pôles s'unissent pour se rejoindre dans l'Esprit. Dans les tantras, c'est l'équivalent du pôle masculin qui s'unit au pôle féminin pour former le fameux Shiva Lingam et culminer à l'orgasme qui, si pleinement ressenti en toute conscience, peut déboucher sur une toute nouvelle dimension de la conscience.

Les pratiques religieuses sont nombreuses, mais deux courants dominent : d'un côté, le sentier de la connaissance et de la maîtrise de soi (jnâna yoga et hatha yoga*) ; de l'autre, la dévotion (bhakti). Le pro-

---

* Il existe plusieurs autres variétés de yoga actif, comme le yoga Ashtanga, le Karma-Yoga, etc.

blème, c'est que plusieurs groupes religieux luttent encore entre eux pour démontrer que leur approche est supposément meilleure que celle de l'autre.

Là-dessus, on me demande souvent pourquoi un amateur certain des écrits religieux et un grand croyant tel que moi ne se contente pas d'utiliser la phrase : « Que ta volonté soit faite. »

Pourquoi demander aux gens de faire proactivement des demandes à l'univers au lieu de simplement prendre l'approche passive du « Que ta volonté soit faite » ?

La réponse est simple (on dit tout à fait justement que la malédiction d'une idée fausse réside dans la fausseté d'une idée). Il faut cesser de faire le yoyo entre les deux points de vue pour plutôt les unir (yoga) dans une seule approche, un seul point de jonction. Relier les yogis aux dévots par le sentier des Tantrika (bon, un peu sucrée, cette phrase ; à vous de poursuivre vos recherches).

Il n'y a aucune contradiction dans le fait de faire à la fois des demandes et de demander au Divin que Sa volonté soit faite.

Sa volonté est que nous fassions des demandes. Faire des demandes, c'est la force, la puissance du Père, de la connaissance, du jnâna yoga.

Le lâcher-prise, c'est la force du Fils, la dévotion, la bhakti.

Le paradis se matérialise quand *Demandez et vous recevrez*, ou jnâna, rejoint *Que ta volonté soit faite*, ou bhakti.

Le Saint-Esprit descend alors sur vous parce que la volonté de Dieu et la vôtre sont la même. Et qui ne voudrait pas goûter un bon *banana split*? Allez, avouez. Hum, ça serait donc bon. Avec extra fudge.

Équilibrer l'ordre et le désordre

Poursuivons notre discussion sur la quête de l'équilibre. Pour toucher, goûter – pas simplement conceptualiser mais vraiment goûter – au paradis ici et maintenant, il faut constamment comprendre la nécessité d'équilibrer les intérêts de vous comme Père et vous comme Fils.

Un peu à l'image d'un atome d'hydrogène qui prend existence sur terre en maintenant continuellement l'équilibre entre son proton au centre et son électron en périphérie.

Du côté de la science physique, on trouve cette dualité dans le concept d'entropie, c'est-à-dire la tendance naturelle des choses à aller vers le désordre ou le chaos, et celui d'enthalpie qui, de façon un peu simplifiée, est la propension à maintenir l'ordre.

Une question : pourquoi la tendance naturelle des choses (mais ce n'est peut-être qu'une apparence) est-elle d'aller vers toujours plus de chaos ? Je ne sais pas pour vous, mais si je laisse mes enfants seuls pour une journée dans la maison, lorsque je reviens, ce n'est pas plus en ordre qu'au matin, mais plutôt moins. Et vous ?

Non mais, pourquoi ? Pourquoi la tendance normale des choses est-elle de tendre vers le chaos ? Pourquoi devons-nous travailler et dépenser de l'énergie pour rendre les choses propres ?

Pourquoi Dieu n'a-t-Il pas fait en sorte que nous devions travailler pour être malade, que nous devions bûcher pour salir nos vêtements, pour foutre la pagaille dans une pièce ?

Tenez-vous bien : **c'est exactement ce qu'Il a fait.**

En tant que Dieu ou Père, Il travaille à bâtir des aventures (*journeys*). Sa nature à Lui, le Père, c'est d'être en santé, abondant, bref, en ordre partout. Dieu doit travailler très fort pour se créer une aventure loin de son état naturel.

En tant que Fils, c'est l'inverse. C'est l'aventure pour retrouver l'état divin. Dieu travaille fort pour faire le trou. Le Fils travaille fort pour remplir le trou.

L'aventure de Dieu, c'est de se rendre à la maladie, au chaos et au dénuement – heureux les pauvres –, voilà pourquoi il est plus difficile à un riche de voir le royaume des cieux. Seuls ceux qui ont un manque peuvent incarner le Fils.

L'aventure du Fils est de se rendre à la santé, à l'ordre et à l'abondance. Il n'y a donc pas ici de contradiction. Une fois de plus, le paradis se situe quelque part entre l'aventure vers le désordre pour le Père et l'aventure vers l'ordre pour le Fils.

Ce que ça veut dire concrètement pour vous et dans votre vie, c'est qu'en tant que Dieu, vous allez, eh oui ! continuellement vous placer dans la m… isère (j'ai fait un effort).

Votre *job* de Fils, c'est de jouer à vous en sortir, jusqu'au point d'équilibre – le trésor d'une demande matérialisée.

Comment le Père permet que le Fils trouve le trésor : la demande après la demande

« Pierre, maintenant que j'ai compris le principe, est-ce que toutes mes demandes vont se matérialiser comme ça, rapidement et sans effort ? »

Ça dépend. (Oui, je sais, une autre belle réponse de politicien. Que voulez-vous, c'est ça, le jeu entre le Père et le Fils.)

En tant que Père, vous devez trouver un moyen **de faire durer le plaisir.** Sinon, Dieu ne veut pas vraiment que vous trouviez le trésor.

Tel un prisonnier devant son dernier repas, Dieu ne veut pas vous voir prendre la dernière bouchée, de peur de se retrouver seul à ne rien faire.

Le Dieu en vous (je vous rappelle pour la dernière fois que vous êtes à la fois, simultanément le Père **et** le Fils) ne veut pas que ça finisse si la chaise électrique vous sert de digestif.

Vous comprenez ?

Vous souhaitez un délai dans la réalisation de chacune de vos demandes parce que vous croyez que c'est peut-être votre dernière aventure. Vous croyez qu'il n'y a qu'un film dans le club vidéo.

Mais tout comme au cours d'un souper où vous avez trop mangé, la faim revient toujours.

Le truc, c'est de préparer **la demande après la demande.**

L'astuce pour se permettre de lire le dernier chapitre d'un bon livre (vous savez, le genre de livre pour lequel on s'est construit tout un univers mental, avec des personnages, etc. ? On n'a pas vraiment envie que ça finisse ! En passant, ceci est le dernier chapitre de ce livre), c'est de savoir qu'il y aura un autre tome sous peu.

Non mais, y a-t-il quelque chose de plus triste que d'entendre le petit bonhomme vert du festival Juste pour rire crier : « Maman, c'est fini » ?

Si, par contre, vous préparez une demande qui suivra celle que vous poursuivez maintenant, vous vous permettrez de la manifester plus rapidement. Vous saurez que ce n'est pas la fin de l'aventure. Seulement la fin d'une étape.

Un exemple. J'ai actuellement un groupe de clientes qui cherchent ardemment à trouver un joint parfait pour leur vie. Elles se voient trois fois par semaine pour en parler, vont au restaurant ensemble, font même de la méditation en groupe pour augmenter l'énergie sur leur demande. Sauf que...

... sauf que si l'une d'elles trouve ce fameux joint, **elle n'aura plus sa place dans ce groupe.** Elle perdra son loisir par excellence ! Comment voulez-vous qu'elle le trouve si elle n'a pas un autre jeu à jouer par la suite ?

Et vous, votre demande qui tarde à se matérialiser, est-ce votre jeu principal ? En avez-vous assez de ce jeu ? Sinon, continuez à bûcher. Si oui, trouvez-vous une autre chasse au trésor dans laquelle vous bûcherez. D'une façon ou d'une autre, vous aurez du bois à couper !

Promettez à Dieu que vous ne serez jamais satisfait. Que vous aurez une demande encore plus grande après celle-ci. Que ce ne sera jamais la fin de son film. Et vous verrez la vitesse à laquelle vous obtiendrez les moyens pour la demande en cours.

Pour voir une étoile, il ne faut pas en être une soi-même. Dieu veut donc, au départ, vous éteindre pour se regarder.

Si vous n'aviez le droit qu'à une seule boule de crème glacée dans toute votre existence, voudriez-vous vraiment la terminer ?

Une fois la crème glacée mangée, voulez-vous de la crème glacée ?

Le plaisir, c'est, pardonnez-moi l'anglais, de passer du *son* (Fils) au *sun* (soleil).

Si vous avez d'autres demandes après celle-ci, vous vous permettrez ce trésor. Voilà le sens de l'expression « deuxième naissance » : vous devez mourir à nouveau pour entrer dans le royaume des cieux.

En promettant une deuxième aventure, votre goûterez au paradis de la mort de la première.

Comment le Fils se permet de trouver le trésor sous le regard du Père : le mérite

Reprenons la question que vous m'avez envoyée dans la section précédente : « Pierre, maintenant que j'ai compris le principe, est-ce que toutes mes demandes vont se matérialiser comme ça, rapidement et sans effort ? »

Ça dépend. (Même réponse que tout à l'heure – là, je me distingue des politiciens : je garde la même réponse pour la même question.)

Pour satisfaire le Père en nous et nous permettre de trouver le trésor (une demande matérialisée symbolisée par la crème glacée), on prépare la demande après la demande. Bien reçu. 10-4.

Mais le Fils en nous a aussi une condition pour accéder au trésor (toute une, celle-là) : il doit croire qu'il le mérite.

Vous êtes vraiment fou, vous savez. Vous passez des années à bûcher pour obtenir réponse à une demande et, au moment où vous êtes sur le point de l'obtenir, vous hésitez… parce que vous n'êtes pas certain de la mériter.

Vous n'êtes pas convaincu que vous avez suffisamment souffert pour avoir ce trésor. Complètement fou, vous dis-je.

D'une façon ou d'une autre, vous devrez vous convaincre, **sans l'ombre d'un doute,** que vous méritez ce trésor. Que vous en êtes digne.

Vous devez vous trouver une explication **dans laquelle vous croyez sincèrement** pour justifier à votre beau-frère ou à votre belle-sœur pourquoi vous avez obtenu ce trésor. (Sinon, vous vous sentirez jugé d'avoir réussi. Y a pas une pilule contre cette maladie ? On pourrait peut-être faire une infopub pour vendre ça avec les abflex, abroller, abpro, abplatir, ablation, et tous les abmachin sur le marché – non mais, ce qu'il y en a des problèmes de ventre !

Vous devez mettre un terme à la culpabilité. La magie d'un trésor commence lorsqu'on se sent bien devant lui. Ensuite, on doit en profiter, sans culpabilité.

Parce que dès que vous aimez quelque chose, cette chose commence à se consumer. (Tiens, pourquoi ne pas appliquer ce principe à vos dettes ? « Ô chères dettes, je vous aime, je vous 69, consumez-vous. »)

La fin de la culpabilité devant un trésor obtenu est le début de la trinité. « Mon Père et moi ne faisons qu'un, au paradis. » Voilà, l'idée fixe et le lâcher-prise s'unissent dans la jouissance du trésor, sans culpabilité.

Quoi faire si vous n'êtes pas certain d'avoir mérité le trésor que vous êtes enfin sur le point d'obtenir ? Continuez à faire don de votre don. Continuez à faire des dépôts chez votre banquier intérieur. Pas le choix.

Le remords, le regret et la culpabilité sont une mesure de **votre incapacité à accepter le paradis.** Alors ajoutez des jetons à vos dons, jusqu'à ce que votre sentiment de non-mérite disparaisse. C'est le seul chemin.

L'ultime prière, le Notre-Père... d'aujourd'hui !

Je m'en voudrais d'avoir écrit un livre sur la foi et la réalisation de vos demandes sans reprendre la prière ultime laissée par un de nos capitaines par excellence, Jésus.

Reprenons le célèbre Notre-Père (l'appel et les sept implorations), mais dans le contexte de ce livre et pour élever notre niveau de conscience.

Celui qui fait cette prière **doit** choisir son aventure, sa surprise, son fun. Remettez votre demande dans votre esprit et récitons le Notre-Père sauce moderne :

0. Notre Père, qui es aux cieux

Les cieux représentent le plus haut état de conscience que nous atteignons, soit l'état où toutes les possibilités sont devant nous : notre conscience, purifiée de tout doute.

1. Que ton nom soit sanctifié

Sanctifié veut dire « rendre saint ». Comme nous l'avons vu plus tôt, la manière idéale de rendre quelque chose saint et de l'honorer **est de goûter, à travers cette chose ou ce nom, au paradis.** Ce que vous voulez ici, c'est goûter au nom de Dieu manifesté dans quelque chose de concret, au goût sublime de paradis (le nom de Dieu prend alors la forme de quelque chose qui se goûte – le verbe se fait chair).

Le Fils goûte le ciel à travers le Père, par ses sens intérieurs, dans son esprit. Le Père goûte la terre à travers le Fils, par ses sens extérieurs, dans le monde matériel.

2. Que ton règne vienne

Quel règne ? Mais bon sang, celui du royaume des cieux sur terre ! La prière ne dit pas : « Notre Père, reste aux cieux, que ton nom soit oublié et que ton règne attende notre arrivée après que nous soyons morts et en train de pourrir. » Elle dit : « Que ton règne vienne. » Faites donc vos demandes pour tout de suite. *Right now.* « Vienne », c'est au présent (oui, oui, je sais, c'est le subjonctif mais avouez que c'est proche quand même. Et si vous ne me croyez pas, demandez à ma blonde si c'est le présent quand elle me dit « Je ne veux pas que tu viennes »).

Répétez régulièrement la prière suivante : « Mon Dieu, mon Dieu, je veux trouver une façon de réaliser ma demande en une seule journée pour bien jouer. Je veux demander et recevoir là, tout de suite. Vite, avant que la crème glacée ne fonde.

Lorsque la demande est parfaite, sans compromis, sans incohérence et de la bonne taille, Dieu répond tout de suite. **Immédiatement.** Que signifie « de la bonne taille » ? À la hauteur de votre don et de votre utilisation de la règle du don du don. Si vous méritez un jet privé et que vous demandez une balade en Lada rouillée, vous serez contraint… d'aller à pied. Jamais l'univers ne vous donnera moins que ce que vous méritez. **Jamais.** Vraisemblablement, vos demandes sont tout simplement insuffisantes.

3. Que ta volonté soit faite sur la terre comme au ciel

Ça devient évident, n'est-ce pas ? Je savais que vous pigeriez tout ça très vite. La volonté de Dieu sur terre comme au ciel, c'est justement le Fils qui goûte une demande dans le ciel de son esprit à travers le Père **et, simultanément,** le Père qui goûte, dans le monde physique, à travers le Fils, la demande matérialisée.

À nouveau, le Fils goûte le ciel à travers le Père, par ses sens intérieurs, dans son esprit. Le Père goûte la terre à travers le Fils, par ses sens extérieurs, dans le monde matériel.

4. Donne-nous aujourd'hui notre pain de ce jour

Et vlan ! En plein dans la gueule des REER et des mises de côté. Le pain (les désirs matérialisés que nous consommons – un trésor **doit** être consommé pour être goûté, comme nous l'avons vu), c'est quelque chose qui pourrit si on ne le mange pas rapidement.

Pas de temps pour la culpabilité. Et si on demande le pain aujourd'hui, c'est qu'il y aura encore du pain demain, que nous devrons à nouveau demander. Aaah, là, je m'excite. Le physicien est sur son élan. Si c'est du pain, vous devez le demander pour aujourd'hui et le bouffer dès qu'il arrive. Pas le droit non plus de demander le pain de demain. Interdit. *No.* Dixit capitaine Jésus !

5. Pardonne-nous nos offenses comme nous pardonnons à ceux qui nous ont offensés

C'est évident! C'est la loi de l'action-réaction. Sauf qu'ici on demande formellement que la loi soit appliquée dès aujourd'hui. Autrement dit, on veut notre paye *now,* pour nos bons coups. (Attention, on aura aussi nos coups de pied aux fesses pour les moins bons). C'est la fameuse justice parfaite que nous réclamons haut et fort.

6. Et ne nous soumets pas à la tentation

Et non pas: **élimine les tentations.** Dans cette ultime prière, Jésus lui-même confirme qu'il faut des tentations pour que l'aventure soit intéressante. Bien sûr, on peut implorer le Père pour qu'elles ne nous tombent pas toutes dessus, mais il faut des épreuves, des embûches et de la marde dans le portrait global. Ce qu'on veut, c'est du soutien, du courage, des couilles. Pas l'élimination des problèmes. L'apport de confiance.

7. Mais délivre-nous du mal

Délivre-nous du mal. Qu'est-ce que le mal? Grande question. Le mal, c'est de ne pas atteindre ses demandes. C'est de ne pas goûter ici et maintenant à la félicité d'une bonne et difficile chasse au trésor. C'est de s'asseoir sur ses lamentations et ses problèmes en disant qu'on n'a pas de chance.

Le mal, c'est de ne pas voir la possibilité du paradis terrestre, de la trinité du Père (1) qui se goûte à travers le Fils (2) dans l'acte de manger (3) de la crème glacée ou celui de vivre toute demande manifestée – 3 dans 1. Le mal, c'est de croire que vous n'êtes pas déjà en train de jouer au paradis.

Que j'aime le Notre-Père.

Chez Bobil, mon paradis de petit garçon

J'aime mon père (oui, oui, toi aussi, Maman, je t'aime). Mais si j'ai eu l'inspiration d'écrire ce livre, c'est en me remémorant mon paradis de petit bonhomme.

Très jeune, j'attendais presque chaque soir en haut de l'escalier du cabinet de médecin de mon père (situé au sous-sol de la résidence familiale) pour avoir la chance d'aller, à 11 h du soir, alors que je n'avais que cinq ou six ans, au comptoir de crème glacée. Un petit commerce du boulevard Hamel, à Québec, appelé Chez Bobil.

Ce livre a donc débuté il y a fort longtemps. Dans un vrai paradis. Sur terre. Dans une relation père-fils.

Je vous en prie, ne vous contentez pas d'une boule de crème glacée. Demandez aussi le cornet.

Conclusion

Cher lecteur, le paradis terrestre n'est accessible qu'aux enfants.

Vous n'avez pas à mériter votre ciel.

Les enfants croient que tout leur est dû, sans effort et sans devoir le mériter.

Et vous, croyez-vous mériter vos demandes ou pensez-vous plutôt que vous devez y parvenir à la sueur de votre front?

Sacré Père, Tu nous as encore déjoués!

Le jugement dernier, voilà ce que c'est: la dernière fois que vous mettez des conditions pour la réalisation de vos demandes.

C'est l'arrivée du Messie sur terre.

Nous sommes à la fin des illusions. La fin des traditions et des superstitions. C'est la fin des secrets et la fin de la civilisation fondée sur ceux-ci. Nous passons à l'ère du don du don.

En avez-vous assez ? Croyez-vous enfin avoir mérité votre trésor ?

Sinon, échangez encore plus par le don de votre don.

Si oui, cessez de parler et laissez aller. Recevez votre crème glacée.

Lorsqu'on parle, on n'est pas certain d'avoir mérité.

Il est impossible de parler en mangeant de la crème glacée.

C'est *ice cream* ou *I scream*.

Croyez que vous l'avez reçu et vous l'aurez.

Croyez que vous l'avez mérité et vous l'aurez.

Votre propre jugement, votre propre sentiment de culpabilité vous empêche de matérialiser vos demandes.

Ça suffit.

Dieu est la crème, la haute fréquence. Jésus est la matière, la basse fréquence, l'acteur, le gel. À votre tour, gelez la crème pour trouver le Saint-Esprit.

Vous comprenez ? L'aventure du paradis terrestre, c'est le Fils, vous, l'acteur, qui utilise ses capacités pour geler le Père, geler, parmi l'infinité de réalités possibles, le Père et Son essence, dans le moule créé par un esprit en santé, un Saint-Esprit.

Une fois l'essence (le Père) de la demande (le Fils) gelée dans votre Esprit, vous goûtez cette essence sur terre. Le Saint-Esprit est devenu la crème glacée. Le parfait équilibre entre le Père et le Fils.

Ice the cream. Ice the cream.

Saisissez Dieu et cristallisez-le en vous. Gelez Dieu, gelez votre demande dans votre esprit fonctionnant sainement.

Ice the cream! That's the treasure!

Parce que le paradis, c'est le Saint-Esprit, c'est de la crème glacée. Ça se goûte!

On ne parle pas la bouche pleine.

Avez-vous hâte d'y goûter?

« Cherchez le royaume de Dieu et sa Justice, et tout le reste vous sera donné par surcroît. » C'est l'ultime aventure de la chasse au trésor et de la loi de l'action-réaction.

Un vrai père n'offre jamais le trésor, mais la chance ou le jeu pour le trouver. Il n'offre pas le poisson, mais la canne à pêche. Qui voudrait recevoir une médaille d'or aux Jeux olympiques sans avoir participé aux Jeux? Ça, c'est de la vraie prière. Mon Dieu, ne me donne pas la santé, l'argent et le bonheur, mais l'aventure pour y parvenir. Et à ça, Dieu ajoute: «Avant même que vous ayez demandé, vous serez exaucé. » **Voilà ce que nous voulons vraiment.**

Personne ne veut réaliser ses demandes. Personne! Vous non plus. Nous voulons le jeu. Un jouet qui ne fonctionne plus est rejeté par les enfants.

Nous sommes maintenant devenus de si bons joueurs que le Père nous a promus au niveau expert.

La partie est plus complexe, cette fois. Allez, sautez sur la patinoire. Lancez-vous sur le terrain et devenez un meilleur Dieu.

Ne vous gênez pas pour briser les règles. Pensez-y. Cacheriez-vous vous-même un trésor deux fois au même endroit dans une chasse au trésor pour vos enfants? Jeannot Lapin se ferait botter la carotte s'il faisait ça.

Brisez les codes de Dieu. Suivez les astuces de Jésus et des autres prophètes. C'est le temps de réécrire les écrits. De réincarner Constantin.

Ce livre est fait. Maintenant, réinventez-le! Sinon, vous serez très ennuyant. Dieu étant la somme de nous tous, il n'y a aucun intérêt à lire les écrits passés. Joignez-vous à moi dans une nouvelle aventure, **une nouvelle saveur de crème glacée.**

Mais retenez bien ceci: pour obtenir la crème glacée, vous devez déjà choisir la saveur de la prochaine boule. Pour accepter de terminer votre film actuel, vous devez déjà savoir et promettre à vous/Dieu que vous jouerez dans une suite, un autre film. La meilleure prière à Dieu est donc de lui demander, en jurant à genoux si vous le voulez, de vous donner une aventure après celle-ci.

Sinon, vous, le Fils, ne vous permettrez jamais de manger la boule de crème glacée que vous convoitez maintenant.

Pourquoi? Parce que la pire catastrophe de l'univers, c'est de revivre l'enfer du paradis.

Épilogue

(par Jessy, la femme du fou)

« Chéri ! Alors que tu écris ce livre, je te rappelle que je suis enceinte de notre cinquième enfant. Tu pourrais au moins m'écrire un chapitre. Juste pour moi. Un chapitre qui **me** plairait, à moi, ta femme qui se tape tout le travail pendant que tu tapes, clic, clic, clic, sur ton clavier un livre sur le paradis pour les autres ! Au moins, pense à moi qui suis enceinte et change le titre pour : **Au nom du Père, du Fils, de la crème glacée et des cornichons !** »

DU MÊME AUTEUR

DEMANDEZ ET VOUS RECEVREZ

2002 • 200 pages • 24,95 $

Dans cet ouvrage déconcertant qui a séduit plusieurs dizaines de milliers de lecteurs, Pierre Morency nous incite à nous débarrasser de nos croyances **apprises** pour les remplacer par d'autres puisées à la source de l'expérimentation.

À l'aide de nombreux exemples, il fait la démonstration que la terre est le paradis terrestre et que tout ce qu'il faut faire pour obtenir ce que l'on désire est de le demander. On ne risque pas grand-chose à essayer : pour le moment, seulement 0,9 % des gens meurent heureux !

Demandez et vous recevrez, c'est un électrochoc qui transforme notre façon de voir le monde, le travail et l'argent.

LES MASQUES TOMBENT

2003 • 192 pages • 24,95 $

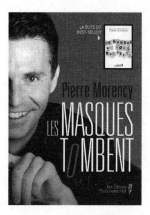

Les lecteurs du livre *Demandez et vous recevrez* n'ont maintenant qu'une chose en tête : **demander.** À partir en voyage. À perdre du poids. À moins travailler. À prolonger leurs orgasmes. À conduire une Mercedes... Ils demandent, mais certains ne reçoivent pas assez souvent ou pas assez rapidement à leur goût. Pourquoi donc ?

Poursuivant l'exploration de la démarche de vie qu'il préconise, Pierre Morency soutient que la réponse à cette question se trouve là où on la cherche le moins : en nous-mêmes. Si nos demandes ne se réalisent pas, c'est que nous manquons de cohérence ou que nous n'avons pas encore trouvé notre rôle de vie. Voilà tout.

Pour que nos requêtes prennent forme, il nous faut donc partir à la recherche de notre vérité fondamentale. Questionner les attitudes et les croyances qui sont en opposition avec notre conscience et notre cœur. Faire tomber les masques qui nous empêchent d'être authentiques.

Avec la verve qui le caractérise, l'auteur nous aide à faire la guerre à nos incohérences : garderies, sexe, héritage, marchés boursiers, vie de couple, gourous, éducation... tout y passe !

LA PUISSANCE DU MARKETING RÉVOLUTIONNAIRE

2001 • 248 pages • 29,95 $

Faites-vous ces erreurs en marketing?
- Écouter les besoins de vos clients.
- Gérer votre entreprise avec des budgets.
- Lancer des promotions sans les avoir testées.
- Mettre plus d'accent sur la gestion des ressources humaines et des coûts que sur le marketing et l'innovation.
- Utiliser des brochures, des salons et des représentants comme moyens de prospection.
- Ne pas offrir la meilleure garantie de votre industrie.
- Offrir du haut de gamme par soumission.
- Vendre à la fois des produits et des services.

Surpris? Ce n'est que le début. *La puissance du marketing révolutionnaire* est un livre tout simplement renversant sur les véritables leviers de la croissance et de la mise en marché.

LE CYCLE DE RINÇAGE

2006 • 200 pages • 24,95$

« Réussir sa vie de couple est un projet impossible à réaliser ; au mieux, on peut réussir sa vie à travers le couple. »

Selon Pierre Morency, chacun des « cons-joints » qui forme le couple devrait se voir comme un vêtement qui a accumulé tout au long de sa vie des saletés sous forme de souffrances et de croyances. Le couple n'a donc rien à voir avec l'amour inconditionnel, l'égalité des sexes ou le partenariat. Le couple est plutôt un merveilleux appareil pour se nettoyer : « On y entre encrassé, on en ressort purifié. »

Partant de ce principe original et employant le style décapant et provocateur qui a fait sa renommée, Pierre Morency présente dans *Le cycle de rinçage* les bonnes raisons de former un couple.

Attention, ça va brasser !

En vente dans toutes les bonnes librairies.
Vous pouvez aussi commander
vos exemplaires au 514 340-3587
ou au 1 866 800-2500 (appel sans frais).
TPS et frais d'envoi en sus.

Pour plus d'information sur
les activités, séminaires, programmes
de suivi, enregistrements, DVD et livres
de Pierre Morency, consultez
www.pierremorency.com.